UNIVERSALE
ECONOMICA
FELTRINELLI

# BANANA YOSHIMOTO
# Un viaggio chiamato vita

Traduzione di Gala Maria Follaco

Titolo originale dell'opera
人生の旅をゆく
(*Jinsei no tabi wo yuku*)
by Banana Yoshimoto

Traduzione dal giapponese di
GALA MARIA FOLLACO

© Giangiacomo Feltrinelli Editore Milano
Prima edizione ne "I Canguri" settembre 2010
Prima edizione nell'"Universale Economica" giugno 2012
Terza edizione giugno 2014

Stampa Nuovo Istituto Italiano d'Arti Grafiche - BG

ISBN 978-88-07-88222-7

**www.feltrinellieditore.it**
Libri in uscita, interviste, reading,
commenti e percorsi di lettura.
Aggiornamenti quotidiani

IL RAZZISMO
È UNA
BRUTTA STORIA.◄
razzismobruttastoria.net

## Avvertenza

Per la trascrizione dei nomi giapponesi è stato adottato il sistema Hepburn, secondo il quale le vocali sono pronunciate come in italiano e le consonanti come in inglese. Si noti inoltre che:

*ch* è un'affricata come la *c* nell'italiano *cesto*

*g* è sempre velare come in *gatto*

*h* è sempre aspirata

*j* è sempre aspirata come la *g* nell'italiano *gioco*

*s* è sorda come in *sasso*

*sh* è una fricativa come *sc* nell'italiano *scelta*

*w* va pronunciata come una *u* molto rapida

*y* è consonantica e si pronuncia come la *i* italiana.

Il segno diacritico sulle vocali ne indica l'allungamento.

Seguendo l'uso giapponese, il cognome precede sempre il nome (fa qui eccezione il nome dell'autrice).

Per il significato dei termini stranieri si rimanda al *Glossario* in fondo al volume.

# I

Un viaggio,
per quanto terribile possa essere,
nel ricordo si trasforma in qualcosa di meraviglioso.

## Le piramidi stanno a guardare

Giza è una città strana, che fa sentire un po' come sollevati da terra, senza nessun appiglio. Forse dipende dal fatto che non è stata costruita per essere abitata. Quando in una città c'è una presenza così strana, l'atmosfera non può che esserne dominata. Una volta, a una persona cresciuta alle pendici del Monte Fuji, avevo detto:

"Beato te che avevi ogni giorno davanti agli occhi il bel panorama del Fuji...".

Ma con mia grande sorpresa mi aveva risposto:

"Non scherziamo! Era spaventoso!".

Mi diceva che quando era bambino si chiedeva come avrebbero fatto in caso di eruzione, e se, durante l'ora di educazione fisica si voltava e vedeva il Monte Fuji che sovrastava il cortile della scuola, quella che percepiva non ne era la bellezza, ma una sensazione inspiegabile di paura. Una paura forse più vicina a una sorta di timore arcano.

A Giza, sia quando il vecchio profumiere mi suggeriva un'essenza dicendo che "è economica, ma la composizione è in tutto e per tutto uguale a Chanel n. 5!" (possibile?), sia quando andavo a spasso nel deserto in groppa a un càmmello, sia quando mangiavo, sia quando bevevo deliziosi cocktail di frutta fresca al bar dell'albergo, ogni volta che mi voltavo le piramidi erano lì. Apparivano fuse nel solito paesaggio, eppure emanavano un'aura diversa. Ho avuto l'impressione che le piramidi racchiudessero qualcosa di grande che guardava nella nostra direzione anche se era buio e non si vedeva niente. Quella presenza l'ho sentita arrivare da lontano mentre ero concentrata in altro e non quando mi ci trovavo di fronte, ad esempio durante gli spettacoli di suoni e luci.

In quel momento mi sono detta che è vero che le piramidi andrebbero viste almeno una volta nella vita. È come se fossero state costruite in previsione del futuro, e se noi, che siamo gli abitanti del futuro, non andiamo a vederle, chi ci andrà? Non so chi le abbia costruite e con quale finalità, ma finché non le si va a vedere non si può capire nulla del loro mistero.

Il clima secco dell'Egitto è l'ideale per asciugare per bene il cuore molle di un giapponese. Se lo si visita quando si è stanchi, aiuta a sentirsi meglio. Ho la sensazione che i raggi di quel sole possiedano una grande forza, tale da penetrare nel cuore delle persone, in qualsiasi condizione queste si trovino.

È probabile che le piramidi siano state costruite con quella stessa forza.

## Il Giappone che ho incontrato in Australia

Sono andata in Australia a raccogliere del materiale per il mio nuovo romanzo *Honeymoon*. In realtà avevo pensato a una storia più incentrata sull'Australia, ma mentre scrivevo questo romanzo la situazione interna in Giappone è andata complicandosi, e forse per questo mi è venuta voglia di concentrarmi su elementi come i giardini e i paesaggi giapponesi. Penso che in fondo un viaggio sia tale quando non si protrae per lungo tempo, in quanto a un certo punto si deve ritornare. E proprio sul tema del ritorno mi sono concentrata, per questa volta, e quindi non ne ho potuto parlare nel romanzo, ma durante il viaggio sono andata in un posto interessante.

Trattandosi di una piccola residenza, non mi dilungherò in dettagli (a cercarla, la si troverebbe subito), ma tra le montagne nei pressi di Brisbane c'è un alloggio in stile giapponese in cui ho trascorso una notte. Il proprietario è un monaco che produce carta di riso. E sua moglie prepara ottimi piatti giapponesi per gli ospiti. Tutt'intorno ci sono boschi di banani, serpenti e sanguisughe, un paesaggio inimmaginabile in Giappone, eppure una volta messo piede in quella casa, era in tutto e per tutto un'abitazione giapponese. Le stanze erano in stile occidentale, ma piene di libri giapponesi e saggi calligrafici, tanto che mi sembrava di trovarmi in un rifugio nelle montagne di Nagano o di Yamanashi. Poi, un po' più in là, c'era un *rotenburo* di legno di cipresso, per la gioia del corpo e degli occhi esausti per quel viaggio così faticoso. Immersa nell'acqua bollente in mezzo all'aria rarefatta di montagna mi sono sentita felice di essere giapponese. Fino al giorno prima ero in una camera d'albergo e conducevo una vita del tutto diversa da quella in Giappone, mangiavo con forchetta e coltello, e il giorno dopo in un *rotenburo*... non mi sembrava vero. Sentivo il corpo sciogliersi. Ho pensato al fatto che noi in casa non portiamo le scarpe, che sciogliamo i muscoli nella vasca da bagno, che abbiamo una costituzione fisica che predilige alimenti leggeri. Lo si capisce meglio quando si è all'estero.

Per fare spese bisogna per forza scendere dalla montagna e raggiungere la città; occuparsi della piantagione di banani e raccogliere i filamenti per la carta è un lavoro impegnativo, e anche la gestione dell'alloggio e la cura della vasca da bagno devono essere piuttosto faticose. Eppure proprio quando ho ritrovato la cultura giapponese in mezzo a quella natura brutale, ne ho compreso fino in fondo il valore. I giapponesi sono dotati di una meravigliosa saggezza che fa sì che non rinuncino alle comodità, che tengano in grande considerazione lo spirito, che amino le cose delicate, che vivano in armonia con la natura. Chi abitava quella casa aveva davvero un bel viso, privo di ombre. Decisi che se mi fosse capitato di andare di nuovo in Australia avrei raggiunto quell'alloggio alla fine del viaggio, ritemprato il corpo e lo spirito e poi sarei tornata a casa.

Un'altra cosa che mi è rimasta impressa è il "buffet di frittura".

...anche se, più che di cibi tipici di un paese in particolare, si trattava di una cosa per molti versi approssimativa ma estremamente divertente, che prevedeva che gli ospiti si mettessero innanzitutto in fila davanti a una specie di *salad bar*. Solo che quello non era un *salad bar*, ma un *carne bar*! Fettine congelate di pollo, maiale, manzo e agnello erano disposte una sopra l'altra e allineate in base al tipo di carne, e se ne potevano prendere a volontà. Poi c'era un banco pieno di verdure organizzato allo stesso modo, e anche lì si prendeva tutto quello che si voleva. E poi gli alcolici, il sale, le spezie, la salsa di soia, l'aceto, il pepe, gli intingoli e ancora tanti altri tipi di condimento a piacere. Infine si portava questo piatto verso un'enorme piastra rotonda sotto cui crepitava il fuoco. A quel punto, un signore coreano scoppiettante e vigoroso spargeva dell'olio su tutta la superficie, rovesciava in un sol gesto il contenuto del piatto e aiutato da una specie di lunga pala forata lo faceva soffriggere fragorosamente, lo girava e, dopo questa performance, lo rimetteva nel piatto. Visto che ci si poteva servire a volontà, ci divertivamo a pensare sempre cosa avremmo mangiato dopo, l'agnello con i germogli di soia, il pollo con il cavolo, il sale e il sakè, con il risultato che alla fine abbiamo mangiato moltissimo. E anche questa volta ho pensato a quanto sia bello essere giapponese. Rispetto agli australiani intorno a noi, i condimenti che avevamo scelto erano decisamente alla giapponese.

### Rosmarino

Finora non sono mai riuscita a far crescere una pianta di rosmarino. Si tratta di un'erba molto utile, la si può aggiungere al pollo arrosto o se ne può cogliere e lavare un po' e usarla per migliorare una salsa per carni non ben riuscita. In tutti i casi, i piatti acquistano un ottimo sapore. Per non parlare poi con le patate: che siano bollite, passate in padella o fritte, l'abbinamento è perfetto.

Il problema è che il rosmarino, per quanto in buono stato possa essere quando lo si acquista, muore in brevissimo tempo se non gli si dà acqua ogni giorno e non lo si posiziona in un luogo ben esposto al sole. Anche se si secca, le foglie possono essere usate in cucina, ma non presenta più quel colore verde vivo. La prima pianta è morta perché il cane ci ha fatto la pipì sopra. La seconda, quando sono partita per un lungo viaggio. La terza, una volta che sono dovuta stare a letto perché mi ero ammalata. La quarta è stata sradicata dalla tartaruga. E infine, adesso che da un anno coltivo la quinta, sono sbocciati tanti bei fiori viola.

L'anno scorso, quando avevo appena iniziato a curare questa pianta di rosmarino, ero partita per la Sicilia dopo aver insistito con il mio ragazzo perché la bagnasse sempre. La Sicilia, a inizio primavera, era un paradiso di fiori. Anice, gelsomini, cactus e fiori di mandorlo sbocciavano ovunque, e la città intera si riempiva del loro dolce profumo. Anche nei giardini più piccoli, ai bordi delle scalinate, intorno alle rovine, crescevano tantissimi fiori sconosciuti dai mille colori.

Proprio vicino all'albergo in cui stavo, c'erano dei cespugli molto folti che emanavano un forte profumo. Vi erano attaccati dei fiori di un blu intenso, così tanti che sembravano sul punto di cadere. Ebbi l'impressione di conoscere quel profumo, e infatti con sorpresa notai che quelli che parevano veri e propri alberi erano in realtà piante di rosmarino. Enormi foglie si ammassavano sui rami dall'aspetto solido, e i fiori stavano attaccati con prepotenza, emanando un profumo quasi insopportabile. Sono rimasta esterrefatta, non capivo se mi trovavo di fronte a un vero rosmarino, cresciuto spontaneamente. In confronto a questo, quell'affare minuscolo (anche se in realtà era abbastanza grande) che stavo crescendo dentro a un vaso era una specie di giocattolo. Pensando a tutta la cura che mettevo nell'allevare quell'alberello, mi sentii una stupida.

Però, però. Potrà sembrare strano, ma adesso, ogni volta che guardo la pianta di rosmarino nella mia veranda che, rispetto a quelle sotto i cieli del Sud, profuma e fiorisce con discrezione, mi ritorna alla mente quel rosmarino poderoso in Sicilia. Il profumo, il colore del cielo limpido e azzurro e perfino la sensazione del vento fresco. È tutto molto piacevole, e significa che la pianta di rosmarino che ho davanti agli occhi è legata a qualcosa di incredibilmente grande; per questo, adesso mi sembra bellissima.

## Se si deve andare

Un'amica molto cara mi ha fatto vedere le foto di quando studiava in Italia. Sono rimasta a bocca aperta: era talmente grassa da sembrare un'altra persona! Pare che pesasse dodici o tredici chili più di adesso. Ne avevo sentito parlare, ma vederlo con i miei occhi è stata un'altra cosa. Le ho detto, con sincera ammirazione: "Che brava, sei riuscita a tornare com'eri prima!".

Mi è capitato di passeggiare insieme a lei nella città in cui ha studiato. Ogni tanto mi raccontava qualche aneddoto. Non soltanto mi parlava di quando mangiava, e ingrassava, in quella bella città piena di palazzi antichi, ma anche delle sue ansie, della difficoltà nei rapporti con le altre persone, del dolore per il primo vero amore... quell'esperienza di andirivieni tra il paradiso e l'inferno. Mi ha detto che quando era davvero depressa quella bella città le sembrava completamente grigia, cosa di cui lei stessa si stupiva.

Penso che siano molte le persone che, studiando all'estero, sono ingrassate senza più riuscire a tornare come prima, che si sono innamorate ma non hanno fatto nessun progresso con la lingua, che si sono limitate a vivere lì e a frequentare solo altri giapponesi, e che hanno, in qualche modo, accumulato stress e sono tornate in Giappone senza concludere niente.

In un solo anno lei ha perso tutto quello che c'era da perdere (o forse dovrei dire che ha preso tutto quello che c'era da prendere...): è ingrassata di tredici chili, ma ha provato tutte le gioie della tavola, si è buttata con tutta se stessa nell'amore, è stata con un ragazzo e alla fine si sono lasciati, nel frattempo ha continuato a studiare e ha imparato l'italiano. Per quanto giovane, non si è lasciata intimidire, e con il suo animo deciso e aperto a qualsiasi esperienza ha assimilato tanto, ma per tutte quelle persone che pensano troppo, che mancano di fiducia in se stesse, che esitano e si fanno prendere dallo sconforto, non credo che una cosa del genere sia possibile.

Alla fine quella sensibilità ha dato i suoi frutti, in Giappone è tornata magra, si è aggiudicata una serie di lavori in cui poter sfruttare l'italiano, si è presa il tempo necessario per dimenticare la sua dolorosa storia d'amore, è cresciuta ed è diventata un'ottima donna. Continua anche a coltivare con affetto le amicizie di allora. Tutto questo è la ricompensa per il suo incessante impegno e per il suo animo schietto che si butta a capofitto nelle cose che le interessano senza curarsi del giudizio degli altri.

Lei fa sempre la modesta, ma ritengo siano rare le persone che in un solo anno riescono ad arrivare a tanto, ad assaporare tutto fino in fondo, e se ci è riuscita è perché è una persona eccezionale. In genere, in un solo anno all'estero, non si capisce bene se ci si è andati semplicemente per divertirsi, per fare un viaggio, per imparare una lingua o osservare una cultura diversa, per cercare l'amore, e alla fine si ritorna avendo lasciato mille cose a metà.

Conosco molte persone che restando più a lungo hanno

fatto diverse esperienze, hanno trovato lavoro, imparato una lingua o si sono sposate, ma nessun altro che in un anno abbia vissuto con tanta intensità. Nel periodo in cui l'ho conosciuta, a giudicare dalla disinvoltura nell'uso della lingua e dei gesti, ero convinta che fosse stata laggiù per più di cinque anni.

Guardandola mentre mi raccontava con naturalezza quell'anno straordinario, ho pensato che se si investe del denaro per andare all'estero, piuttosto che stare a guardare i muri che ci portiamo dentro, anche solo vivere ogni giorno a cuore aperto può fare la differenza.

## Un signore straordinario

Di recente sono andata a un convegno sui delfini organizzato dall'Omega e ho visto Jacques Mayol. Ha ispirato il film *Il grande blu*, e poi immersioni, delfini, il suo curriculum è così noto che non mi dilungherò a parlarne ancora in questa sede, ma ci sono alcune cose che si capiscono solo vedendolo di persona.

Immagino che sia perché ha trascorso molti anni in mare, ma le sue spalle, le braccia e le gambe erano straordinariamente lisce. Quel fisico così particolare avrebbe convinto chiunque.

Pensando alle persone comuni che erano venute ad assistere alla conferenza, il moderatore ha iniziato a fargli delle domande così banali da lasciare a bocca aperta. Domande del tipo: "I nostri amici delfini soffrono per l'inquinamento del mare?".

Tempo fa sono andata su un'isola visitata da delfini selvatici, e sono rimasta colpita dal fatto che lo staff giapponese usasse un linguaggio da bambini quando doveva spiegare agli ospiti giapponesi come dar loro da mangiare. Nonostante non ci fossero molti bambini, ci dicevano: "Avete capito? Sulle mani ci sono tanti microbi. Se tocchiamo i nostri amici delfini con le mani, i nostri amici delfini finiranno per ammalarsi".

Anche se ci si rivolge a dei bambini, non sarebbe forse meglio usare un linguaggio da adulti quando si sta insegnando loro come avvicinarsi a questi esseri che vivono in libertà? Ricordo di aver provato una sensazione di imbarazzo.

Più o meno allo stesso modo, essendo di indole irascibile, in quel momento ho pensato: "Non scherzare! Per una volta che possiamo sentire un discorso interessante! Sono cose che capitano una volta sola nella vita!". I delfini saranno intelligenti, hanno tante qualità misteriose, fanno anche tenerezza, ma prima di tutto sono degli animali che vivono in libertà. Non sono bambole di pezza. Ci vuole tempo per conoscerli, e bisogna anche fare attenzione, perché vivono in un mondo differente dal nostro. È del tutto naturale che sia così, eppure ci sono aspettative esagerate sulla loro psiche, e questa cosa non mi piace per niente. E poi, non è possibile avere più rispetto nei confronti di Jacques Mayol che, nonostante la sua grande esperienza, a causa della sua attività rischia la vita ogni giorno? Ho proprio pensato così.

Ma la sua risposta è stata tanto geniale da rendere ridicola quella mia odiosa reazione nata dal mio ego. Con il sorriso sulle labbra ha detto qualcosa come: "Ma scusa, quella volta che sei venuto non sei entrato in acqua? Quindi hai visto da te, no!?", e poi, perché il moderatore non ci rimanesse male, si è avvicinato con un atteggiamento affettuoso, una raffinatezza priva di affettazione. Tutto il suo corpo comunicava con decisione il chiaro messaggio: "Se mi fanno una domanda rispondo, ma la maggior parte delle cose non si può spiegare a parole, e poi ormai a questo mondo quasi tutto, in senso buono, è indipendente dalla nostra volontà". Anche quando si dilungava in commenti più appassionati, non perdeva mai la sua solarità, la curiosità e la profondità. C'è gente straordinaria come questo signore... Il mondo è grande. E poi è bello che il suo modo di essere, la sua voce, il suo viso, il suo modo di parlare, tutta la sua vita si rivelino con tanta chiarezza, ho pensato, emozionata.

## Freddo

Lo scorso inverno sono andata in Toscana. Poiché ero con persone che sono sempre molto impegnate, erano tutti stanchi e il programma del viaggio è stato un po' improvvisato. Uno dei compagni che era con noi, nonostante fosse molto raffreddato, non ha fatto che passeggiare per le strade lastricate di pietra di piccoli paesi. Nel nostro gelido hotel un forte temporale aveva causato un black out, e l'acqua fredda della pioggia era entrata di colpo dalla finestra. Esperienze ancora più freddolose sono state: andare a bere del vino in un vecchio castello ghiacciato; stare seduti in una chiesa priva di riscaldamento senza muovere un muscolo ad ascoltare canti religiosi; andare alle terme e camminare mezzi nudi nella neve, visitare un tempio tibetano immerso nella neve sulla cima di una montagna, e fare una foto ricordo all'esterno.

Se c'è qualcuno che riesce a guarire dal raffreddore in queste condizioni, mi piacerebbe conoscerlo. Com'era prevedibile, il nostro amico raffreddato è andato sempre peggiorando, e quando ha dovuto affrontare un lungo viaggio in auto, continuava a ripetere che gli veniva da rimettere. Visto che diceva così, mi sono preoccupata e gli ho dato il sacchetto della JAL che portavo con me, e lui l'ha tenuto attaccato alla bocca per tutto il viaggio. Poi quando siamo scesi dalla macchina ha detto: "Meno male, non ho rimesso! Grazie", e – da non crederci – mi ha restituito il sacchetto (ma è normale restituirli?).

Però a pensarci adesso, la bellezza magica del paesaggio della Toscana che affiora nell'aria limpida e asciutta, il sapore del vino bevuto in piedi per riscaldarci in quel locale in cui siamo entrati mille volte per il freddo, il rumore dei tacchi che risuonano sui pavimenti di pietra ghiacciati, i fiocchi di neve che volteggiano e il vapore che si solleva dalle terme e l'odore dello zolfo, il calore di una vecchia tisana corroborante bevuta non so quante volte, quella sensazione di aria morbida e sensuale tipica degli inverni in Europa... tutto questo mi provoca una morsa al petto di bellezza e nostalgia.

L'osservazione dell'amico raffreddato mi è rimasta nel cuore.

"Un viaggio è sempre un po' problematico, ma se nonostante le difficoltà si è decisi a visitare tanti posti, anche di un viaggio terribile poi si avrà un ricordo meraviglioso. È la mia filosofia!"

Sarà stata anche la sua filosofia, ma quando mi sono trovata in un bar di terza categoria in quella città freddissima mi sono un po' pentita, eppure persino quello adesso mi manca.

Era proprio il periodo in cui si produce l'olio, e in ogni ristorante tutti versavano, da bottiglie tanto grandi da pensare che fosse uno scherzo, il loro extravergine di oliva su un antipasto di pane chiamato bruschetta. Quel gusto dolce e intenso era come una bevanda. Qualsiasi buon olio avessi assaggiato in Giappone non era paragonabile al sapore tipico di quella stagione in quel paesaggio gelido.

Adesso che scrivo queste cose mi sembra che sia stato davvero un viaggio straordinario, eppure mentre ero lì non la pensavo per niente così. Io e la mia assistente Keiko, per il gran freddo, ci infilavamo spesso sotto il piumone del letto a due piazze con i vestiti addosso, e mentre cercavamo di riscaldarci sentivamo il rumore del vento all'esterno e osservavamo il panorama ghiacciato, e senza neanche riuscire a chiacchierare ci scambiavamo battute secche come: "Freddo, eh!?", "Fa freddo...", "Fa veramente freddo, eh!?", "Fa freddissimo!", e pensavo: "Non voglio più andare da nessuna parte... dovunque fa freddo".

La magia della memoria è impressionante e anche meravigliosa.

Un punto per la filosofia del mio amico.

## Il mistero del mate

Mi è capitato di fare un viaggio in Sud America. La nostra guida in Brasile era un certo Saitō, in apparenza un giapponese vecchietto, ma non certo nello spirito. Essendo emigrato da molto tempo, era ormai diventato un sudamericano. Nonostante l'aspetto esteriore potesse far pensare, non so, al padre di un amico, mano a mano che dalla sua bocca uscivano certe espressioni sbrigative, dirette, furbe e forti tipiche dei sudamericani, tutti abbiamo iniziato a nutrire dei dubbi.

Mi sono addirittura sentita dire: "Lei, signora Yoshimoto, è più grossa di quanto pensassi!". Ho provato a chiedergli: "Si riferisce all'altezza? O al peso?". E mi è arrivata, secca, la risposta: "Entrambi". Argh.

Era una situazione in cui, se fosse stato un papà giapponese, avrebbe detto, in modo un po' più soft: "Sei alta e prosperosa! Si vede che sei in buona salute!".

E poi diceva cose del tipo: "Se la polizia ti becca qui e non hai il passaporto finisci in galera, e anche se ce l'hai ti fanno una multa. Ah, si è formata una folla, ci vengono tutti dietro. Quando diventa così è un po' pericoloso, perché non ce ne torniamo in macchina?". Lo diceva come se niente fosse. Però a vederlo era un sorridente vecchietto giapponese. Da non crederci. Ma adesso che è passato un po' di tempo è diventato un gran bel ricordo.

Durante gli spostamenti in auto, beveva sempre il mate, caratteristico del Sud America. Lo beveva secondo quel famoso procedimento che consiste nel riempire di foglie un bicchiere alto, riempirlo di acqua calda e poi succhiare con una cannuccia.

Il mate è ricco di vitamina C, e per questo pare che sia indicato anche per far passare una sbornia. È un ottimo tè, ma molto amaro. Non ne esiste nessun altro così amaro, e persino per me, che sono un'amante di qualsiasi tipo di tè, era un po' troppo. Per di più loro mettono nel bicchiere un numero impressionante di foglie, e una volta che l'acqua diventa di un colore verde acceso, lo mandano giù a una temperatura che non è né calda né fredda.

In realtà, il giorno dopo ne ho assaggiato un sorso e mi è sembrato buono oltre ogni immaginazione. Era come se il mio corpo lo desiderasse, come se mi dicesse che voleva bere proprio quello. Forse se si vive in mezzo a una natura così vigorosa non si può non bere una bevanda così potente. Da allora, anche quando lo bevo in Giappone, non mi sembra più amaro, e ho persino imparato a berlo con piacere quando è molto denso.

Le cose sono più buone quando si bevono nel luogo da cui provengono, questo è naturale, però il fatto che i sapori restino legati al corpo come ricordi ha dell'incredibile. Anche adesso, quando bevo il mate mi ritornano in mente il verde intenso del Sud America, i forti raggi del sole e la profondità della sera che arriva all'improvviso. Rivivo perfino la sensazione del sudore che si raffredda al soffiare fresco del vento.

Qualche tempo fa sono apparsi in televisione dei giapponesi che vivono in Argentina. La moglie stava preparando il mate per suo marito. Versava l'acqua bollente nella tazza piena di foglie. Vedendolo ho provato una grande nostalgia. Io, che sono solo una viaggiatrice principiante, mi sono detta: "I viaggi moltiplicano le vite degli uomini".

## La spiaggia di Gozo

Se si trova scritto "Servizio di navetta fino alla spiaggia privata dell'albergo", ci si aspetta la classica spiaggia di sabbia bianca e compatta. E invece, dopo essere stati sballottati nel minibus e aver dato capocciate mentre percorrevamo ripide strade, ci siamo trovati su una classica scogliera. All'inizio eravamo allibiti, e volevamo protestare: "Con che coraggio la chiamate spiaggia, questa!?".

Su un lato della scogliera avevano costruito alla bell'e meglio una scaletta, e se si scendeva di un metro circa c'era solo il mare agitato. Dove c'era la scaletta c'era pochissimo spazio, e non veniva neanche voglia di sedersi. Quando alla fine, un po' impaurita, mi sono tuffata e ho iniziato a nuotare, mi sono resa conto che il mare era incredibilmente profondo, dal momento che quella non era una spiaggia. Anche a guardare con gli occhialini, non si riusciva a vedere il fondo. Le onde erano violente, il colore era così scuro da fare spavento, avevo l'impressione di essere risucchiata. Non si riusciva a scorgere il fondo, e quindi non c'erano neanche pesci. Probabilmente, a meno che non mi fossi immersa per almeno due metri, non sarei riuscita a vederne.

A quel punto mi sono guardata intorno per farmi piantare un ombrellone e portare delle sedie in un altro posto, dove ci fosse più spazio, e nel punto in assoluto più alto e più lontano c'era un piccolo stabilimento, da cui un signore è venuto subito a portarceli. Ha allineato in qualche modo le sedie traballanti tra le rocce sulla punta della scogliera, e piantato alla bell'e meglio l'ombrellone. Le sedie pendevano da un lato e, se ci fossimo addormentati, avremmo corso il rischio di finire in mare e annegare.

Abbiamo riposato sudando freddo, ma la vista era magnifica, avevamo davanti solo il mare e il promontorio.

Dopo, a ora di pranzo, abbiamo bevuto birra e mangiato frutti di mare freschi in quell'unico stabilimento.

È stata un'esperienza davvero particolare, ma non potrò mai dimenticare il vento che ci soffiava addosso mentre osservavamo il blu del Mediterraneo a perdita d'occhio dalla punta della scogliera, i sorrisi scambiati con signori e signore di tanti paesi diversi mentre nuotavamo nelle insenature e resistevamo ai cavalloni, la bruschetta con i gamberi mangiati in quello stabilimento che, semplicemente grigliata, era la cosa più buona del mondo.

Fare cose fuori programma, che non si erano neanche lontanamente immaginate, è sempre divertente. Anche le altre persone che erano venute con noi all'inizio erano deluse, ma pian piano si erano abituate a quel luogo, e alla fine sembrava che tutti si divertissero.

E adesso la cosa che mi torna sempre in mente e che non posso dimenticare è la profondità di quell'acqua. Finora ho nuotato in tanti posti, ma è come se avessi nuotato in vasche da bagno riempite con acqua di mare. Era la prima volta che nuotavo in un mare così profondo. È incredibile, il corpo inizia a tremare per la paura e l'eccitazione. E il fondo è così lontano che l'acqua è di un blu cobalto mai visto prima. Un blu denso, innaturale, che sembra quasi colorare gambe e braccia.

Quando penso a quale mondo deve esserci sul fondo di quel mare, ancora adesso mi vengono i brividi, un po' come quando si fantastica sull'universo.


## I racconti della giada

Sono stata a Taiwan, e ho visitato il mercato delle pietre.

Per "pietre", a Taiwan, si intende la giada. Gli anziani, in particolare, pensano che tenerla addosso faccia bene alla salute, e inoltre si dice che funzioni anche come amuleto, che attira su di sé i mali invece che sulla persona che la indossa. Pare che tutti portino con cura oggetti di giada ricevuti dai genitori o dai nonni.

Al mercato c'erano diversi negozi, alcuni che vendevano pietre false, altri vere. Vi si vendeva giada di ogni tipo, a forma di animali e piante portafortuna o con lacci variopinti per attaccarli ai cellulari e ai portafogli, e l'atmosfera era molto vivace.

Io ho comprato una pietra con la forma di un simpatico bruco, e un'altra, più strana, a forma di serpente bianco.

Del bruco il negoziante ha detto che era stato realizzato in epoca Ming come giocattolo, e che nessuno lo ha mai portato addosso, mentre del serpente bianco ho capito solo che si tratta di un oggetto antico. A Taiwan c'è la credenza che la giada già indossata da altri porti male. Questo perché ne avrebbe assorbito tutte le cose negative.

Preoccupata, una volta tornata a Tōkyō ho fatto vedere quella pietra a un'amica indovina.

Lei l'ha stretta tra le mani e ha detto: "Prima di ottenere la forma attuale, questa pietra ha lavorato moltissimo sotto forma di semplice pietra. A quell'epoca aveva assorbito tutte le esperienze negative di qualcuno, ne ha sofferto e si è indurita. Però è una brava pietra, che non tirerà mai fuori quelle cattiverie a dar fastidio, e quindi basterà che riposi un po' per riprendersi. A quel punto penso proprio che potrà lavorare anche per te, ma adesso devi farla riposare".

Non so se sia vero o no, nessuno può dirlo. Ma la storia nascosta in quella pietra aveva un che di commovente, e al pensiero che dopo molto tempo fosse arrivata fino a me, ho provato una sensazione di tenerezza.

Il fatto che degli oggetti scaturiti dalla natura, modellati con amore dalle mani dell'uomo, proteggano dalle sventure chi li porta non mi sembra inverosimile, anzi, del tutto normale.

Sin dai tempi antichissimi l'uomo, così facendo, ha affidato alle storie il proprio desiderio di pace ed è vissuto in accordo con la natura.

Ho provato un po' di invidia verso quell'indovina che riesce a parlare con le pietre, ma soprattutto ho pensato con ammirazione che se riesce a svolgere un lavoro che aiuta le persone è perché possiede un animo gentile anche per i piccoli oggetti muti. Evidentemente a salvare le persone è prima di tutto il contatto con quel tepore dei sentimenti.

Il serpente di giada ancora adesso riposa in silenzio sul mio petto.

È più divertente immaginarsi le cose più diverse, piuttosto che pensare che sia solo una pietra. Io la vedo così.


## Corallo

Quando sono stata sulla spiaggia di Amami Ōshima ho notato molti frammenti di corallo mescolati alla sabbia.

Se fossi stata di fretta, avrei semplicemente pensato "Toh, del corallo...", e invece, avendo del tempo libero, sono rimasta seduta e ho continuato a osservare quei frammenti di corallo vicino ai miei piedi. Se li si guarda per un po', si capisce bene che hanno tante forme diverse. Modellati dalle onde, a poco a poco diventano tondi, di una rotondità molto più complessa rispetto a quella del corallo lavorato con tempo e fatica dalla lima dell'uomo.

A un certo punto mi è venuto in mente che sarebbero stati perfetti come supporto per le bacchette.

Allora mi sono messa a cercare quelli la cui forma mi sembrava migliore per quello scopo. Alla fine ero molto concentrata. Ma pensando che non fosse giusto portare via chissà quante creature del mare, avevo deciso di sceglierne soltanto cinque pezzi in tutto.

Cinque pezzi in una spiaggia enorme, era una scelta ben difficile.

Preso uno, scartato l'altro, mentre sceglievo quelli migliori, mi cominciava a fare male la schiena. Gli occhi, concentrati a cercare, erano attenti come quelli di chi sta osservando un quadro. Fissi, come se non volessero lasciarsi scappare la minima forma di bellezza.

Infine, nella luce del tramonto, avevo in mano i cinque supporti per bacchette che mi davano più soddisfazione.

Li ho lavati nell'acqua e, rivolta al mare, ho detto: "Porto con me questi frammenti di corallo. Li userò sempre con cura, quindi perdonami".

A pensare a quanto tempo trascorre da quando il corallo nasce a quando muore bagnato dalle onde, chiunque avvertirebbe quella sensazione solenne.

Se anche raccogliessi dieci o dodici frammenti così, a casaccio, il mare non si arrabbierebbe. E non cambierebbe nulla.

Ma a cambiare sono i sentimenti.

Avendo tempo da perdere, mi sono ritrovata per caso a vivere un momento così prezioso nello sfiorare quelle forme generate dalla natura. E ho anche avuto la sensazione di comprendere, nel mio piccolo, i sentimenti degli antichi quando portavano via con sé qualcosa che apparteneva alla natura.

È avere del tempo a disposizione che favorisce lo spirito creativo, mi sono detta. Parlando di spirito creativo ci si immagina un'attività febbrile, ma in realtà anche starsene pigramente a guardare i propri piedi... ho capito che può nascere anche da una cosa così.

Da bambini deve essere stato così per tutti.

Quei cinque frammenti di corallo che uso come supporti per le bacchette, a differenza di quelli comprati, hanno forme lievemente diverse tra loro, e ogni volta che li guardo mi ritornano in mente la splendida luce di quella sera, la sensazione dell'acqua tiepida del mare sulla pelle e il sole dorato che calava dietro alle montagne.

Poco tempo fa sono andata a Okinawa, e mi sono fermata su una spiaggia di corallo. All'improvviso mi è venuto in mente il viso di un'amica che colleziona conchiglie e corallo, e chiedendomi se ce ne fosse qualcuno che potesse piacerle, mi sono messa a cercarne per un po'. Ho trovato un frammento di corallo piccolo e rotondo, come un neonato, e poi un guscio di conchiglia che sembrava fatto apposta per starci in coppia. Sì, è così, sono oggetti piccoli, perfetti, dalle linee asciutte che incontrano il suo gusto, ho pensato, e mi è venuta una gran voglia di rivederla.

Sono infiniti e diversi i modi di trascorrere la vita... non voglio dimenticarlo mai.

## In quell'istante

Vicino a me abita un'amica che si chiama M. È una bella donna originaria di Aomori, molto simpatica, sempre gentile, allegra e vivace. Riesce spesso a far ridere e parla a voce alta e squillante anche quando non sta bene. Se ha qualche problema non ne parla e sopporta in silenzio, e si tiene dentro anche cose che dovrebbe condividere. Persino di malattie e indisposizioni parla soltanto una volta che sono passati. E invece dice sempre pubblicamente e a gran voce cose di cui tutti gli altri non fanno parola.

I suoi orari, anche per via del lavoro del suo convivente, sono completamente stravolti, scambia la notte con il giorno, ma lei se ne dimentica completamente e telefona come se niente fosse nel bel mezzo della notte. Il contenuto delle telefonate è ad esempio: "Mi sono dimenticata il numero di Tizio o Caio, per caso lo sai?", oppure: "Rabuko (il mio cane) è stata dimessa dall'ospedale?". Nel mio caso, sa che spesso sto sveglia fino a tardi, ma forse, più semplicemente, quando lei ha voglia di chiamare, chiama, quando ha voglia di incontrare qualcuno, lo incontra, quando è in pensiero lo è e basta, quando qualcosa le va, le va. Sapendo che lei si comporta così, da molti anni siamo amiche.

Qualche giorno fa stavamo mangiando insieme a lei, e dopo aver assaggiato il bollito ha esclamato "Buoooono!". In quel momento mi è venuto spontaneo fare un collegamento. È vero, anche Nara (il pittore Nara Yoshitomo) quando mangia qualcosa di buono dice sempre "Buoóono!", e adesso che ci penso sono tutti e due di Aomori! Me ne sono resa conto con un po' di stupore.

In quel momento, dentro di me, li accomunava un certo *mood*... una sensazione di estrema vicinanza ma allo stesso tempo di estrema distanza, la netta impressione che si tengano qualcosa dentro. Non appena sono liberi ci vediamo, se hanno voglia di telefonare lo fanno senza preoccuparsi dell'orario, ma se non ne hanno voglia non chiamano, non sorridono alle persone che non gradiscono, dicono quello che vogliono dire sfacciatamente e con chiarezza, si emozionano e dicono "Buooono!" di fronte a un piatto gustoso, anche quando sono lontani si percepisce il loro calore... Ho riscontrato come avessero questi atteggiamenti in comune e, dicendomi: "Ah, questi sono quelli di Aomori", li ho arbitrariamente accomunati (ma non so se è veramente così, e nel caso mi stessi sbagliando, chiedo scusa alla gente di Aomori). E così tutti e due hanno iniziato a piacermi sempre di più, e mi sono resa conto che la cosa che di loro mi dà più fiducia è quella mancanza di affettazione. Ho sentito un improvviso legame con Aomori, e mi è venuta voglia di andarci. Non era uno stato d'animo passivo, del tipo "una volta potrei andare a vedere il Nebuta", come mi era successo fino ad allora, ma una sensazione più intima, personale.

Forse l'esempio era troppo personale, ma la stessa identica cosa può capitare anche con un paese straniero. Una volta che da un interesse qualsiasi nasce un legame, capita che quel paese ci apra il suo cuore tutt'a un tratto e mostrandoci molte cose. A quel punto la storia di quel paese ci si spalanca davanti agli occhi come se si trattasse di qualcosa di nostro.

Le guide giapponesi che vivono in Sud America assumono un aspetto quasi selvaggio, me ne rendo conto nell'istante in cui sento dire loro cose come "sono vivo per miracolo" o "quella volta sono quasi morto".

O come quella volta in cui una signora danese di quasi ottant'anni a cui avevo detto "ho un jet lag tremendo, forse è meglio che compri una medicina" mi ha risposto con un'espressione sorpresa "e perché? Se non hai sonno basta che non dormi!".

Un albergo ai piedi dell'Everest. Quella volta che mi sono svegliata in piena notte con il respiro tremendamente affannoso ma la mente più lucida che mai. Ho pensato "certo, se stessi qui a lungo probabilmente arriverei a comprendere il Mandàla".

Il gusto di un bicchiere di vino rosso bevuto nel tepore di un'enoteca nella quale siamo entrati per ripararci dal freddo di una piccola cittadina toscana in pieno inverno. Era un sapore che sembrava fondersi con il corpo. Mi sono detta che bere quel vino nella terra in cui era nato equivalesse a gustarne tutto, clima compreso.

Una passeggiata in un parco dal quale si vede in lontananza il mare di Taormina. Il sole a occidente è forte e acceca. Meravigliata da quello sfavillio, camminavo in mezzo al verde del parco. Nel clima del Sud, le piante crescevano rigogliose, quasi brutali, e si stagliavano con il loro verde brillante contro il cielo ancora azzurro. Qua e là crescevano fiori di tutti i colori, ma, troppo esposti alla luce del sole che tramontava, erano tutti dorati. Su una panchina di quel parco ho assistito al momento in cui una giovane coppia si scambiava un bacio. Io non ho trascorso la mia giovinezza in questo paese, né ho mai ricevuto un bacio in questo parco meraviglioso al calare del sole. Eppure quella sensazione insieme calda e dolce è arrivata fino a me, come se l'avessi vissuta io stessa.

In momenti come questi, affiora sempre una piccola speranza: che le cose che scrivo non siano apprezzate solo dai giapponesi, ma che, con il mio piccolo computer, non stia raccogliendo pensieri inutili.

## Una vita come quella

Poco tempo fa, sono andata per la prima volta in Sicilia. Siccome mi era stato detto da tutte le persone che conoscevano l'Italia che Palermo è una città pericolosa (persino alcuni italiani mi avevano detto che avrei fatto meglio a girare senza borsa, o con una borsa della quale non mi importava di essere derubata, e con dentro solo cose di scarso valore!), stavo in guardia più o meno come quando sono andata in Sud America. Ma nel momento stesso in cui ho messo piede a terra in aeroporto, mi sono resa conto che era tutto così bello che non mi importava più di niente. Il cielo azzurro e le montagne maestose. Di sera la strada che portava in città era bloccata dal traffico, ma nella luce di quel tramonto c'era una bellezza dimenticata, di cui avevo come nostalgia. La sensazione di pace quando la giornata volge al termine, la felicità di tornare a casa, e quindi la felicità di vivere in quella terra: doveva essere questo ciò che la gente provava. Era una bella serata. Quella sensazione mi aveva invaso il cuore. Circondati da quel sole e da quell'azzurro, è naturale che nasca quel gusto particolare per la ceramica azzurra e gialla. Quando la si trasferisce nell'umidità del Giappone, diventa fredda. Desideravo con tutto il cuore vivere in quella città, gustare il vino sul calar della sera, e mangiare insieme alle persone a cui voglio bene. Non erano tante le città che facevano scaturire in me simili pensieri. Senza contare che qualcuno del personale dell'albergo mi aveva detto che ultimamente furti e scippi erano diminuiti, e che ormai erano più pericolose Roma o Napoli.

Abbiamo passeggiato per la città, osservato strane chiese in cui diverse culture si mescolavano in modo bizzarro, ci siamo immersi nel silenzio dei chiostri, abbiamo partecipato ai festeggiamenti per la Pasqua, mangiato tra le risate, bevuto un po' troppo, girato per i mercati. Le persone dei quartieri poveri si affacciavano alla finestra e mentre chiacchieravano si divertivano a guardare la strada. E gli immigrati osservavano in silenzio la loro fede, sotto quel cielo meraviglioso, chiaro nonostante fosse ormai sera.

Quel modo di vivere ha lasciato in me una sensazione che non dimenticherò facilmente. Ebbi l'impressione di vedere riconfermata la formula "questa è la vita che fa per me". Perché in Giappone questo non succede? mi sono chiesta. A causa del lavoro? Per il cane o la tartaruga? Ho pensato a varie ipotesi, ma erano tutte sbagliate. Manca qualcosa, per forza. Una volta ho letto il libro di Patrice Julien* *Me lo ha spiegato un fagiolo*. Come ci si aspetta da una persona che vive da molto tempo in Giappone, e considerato inoltre che riesce a vederlo da una prospettiva esterna, ha compreso perfettamente quanto la vita dei giapponesi si sia del tutto allontanata dai principi fondamentali dell'umanità. Mano a mano che andavo avanti con la lettura, capivo le ragioni della mia perplessità. Un brano, in particolare, è stato illuminante. Lo riporto di seguito.

"Provo a disegnare nella mente le infinite immagini che nell'arco di una giornata mi entrano dentro senza che me ne accorga – i volti delle persone che incrocio, i colori delle pareti, la forma degli edifici, le strade eccetera. Poi cerco di confrontare il cielo delle città francesi con quello del Giappone. Cosa c'è di diverso? Che non siano poi tanto diversi? No, c'è una differenza evidente, e si tratta dei fili della corrente elettrica. In Giappone, a separare le persone dal cielo, ci sono fili della corrente che somigliano al nido di un ragno ubriaco, che li ha tesi in tutte le direzioni e con le maglie affastellate."

* *Life-designer* francese residente in Giappone, è autore di numerosi libri di cucina, *life-style* e *design*. [N.d.T.]

Dopo questo punto ci sono ancora altre frasi assolutamente da sottoscrivere: per me è stato come se mi fosse caduto un velo dagli occhi. Ho pensato che in Giappone, e a Tōkyō in particolare, mancano effettivamente scenari e strutture in grado di diventare un nutrimento per la vista, di mettere a proprio agio le persone, vecchie o giovani, uomini o donne che siano, e di aiutarli a creare uno spazio per la loro intimità. Mi viene persino da domandarmi se non si sia pensato che fosse preferibile negare a tutti la serenità, una vita divertente, il desiderio di stabilità. Mi sembra che si sia creato un sistema nel quale i soldi sono una divinità, e grandi e piccoli non sanno divertirsi se non ne hanno. Tempo fa un amico venuto da Kyōto mi ha detto: "A Kyōto ci sono posti a volontà in cui riprendere fiato, scenari godibili da persone di qualsiasi età. Anche solo sedendosi in riva al Kamogawa, chiunque può sentire che non gli manca nulla. A Tōkyō senza soldi non si può fare niente". Non mi viene in mente una soluzione, ma sarebbe bello se d'ora in avanti si costruissero città in cui i giovani potessero respirare, che custodissero piaceri profondi e che offrissero loro modi di attraversare la vita anche stando fermi.

Dicevamo che il viaggio è qualcosa di prodigioso. Quando si è in viaggio, la propria condizione fisica diventa naturalmente centrale. Nel quotidiano è diverso. Nella maggior parte dei casi, ho l'impressione che sia lo spirito a essere al centro. Forse è perché una tensione così forte ha l'effetto di temprare le persone, ma quando di ritorno da un viaggio si guardano le fotografie, non vi si percepisce traccia della stanchezza fisica o del clima avverso. E si perde anche la piacevole sensazione del sussurro del vento e quella dei raggi del sole che sfiorano la pelle. Resta solo un bel paesaggio, privo anche di suoni. In passato, quando mi erano arrivate le fotografie di un viaggio in Egitto, mi avevano fatto uno stranissimo effetto. La fotografia riproduceva la luce violenta e l'ombra fitta, ma non trasmetteva minimamente la sensazione della mia pelle che vi era esposta e quasi crepitava come carne al fuoco. E infine, quello che mi è parso più curioso in assoluto, è stato il fatto che la stanchezza provata non ha lasciato nessuna traccia nei miei ricordi.

Terminato il mio soggiorno palermitano, ad Agrigento mi sono presa un raffreddore. Per l'intera durata della visita ai resti archeologici, ho avuto un male terribile alla gola. In quel momento provavo dolore al solo respirare, e mi dicevo: "Mi fa troppo male! Non voglio più camminare!". Eppure, adesso che il viaggio si è concluso, la cosa che mi è rimasta più impressa, chissà perché, non è né quel mare meraviglioso, né i reperti, né le colonne intarsiate di mosaici del monastero, né le mummie, ma quella strada normalissima che usammo come scorciatoia tra i resti archeologici e l'albergo, nel giorno in cui mi sentivo peggio. Il mal di gola aveva raggiunto l'apice, e non ci sarebbe stato nessun motivo per cui dovesse restarmi un bel ricordo, eppure lo spettacolo di quella strada mi è tornato in mente non so più quante volte. Si vedevano i resti dietro di noi e l'albergo davanti, e in quella stradina crescevano tantissimi vecchi olivi, con i rami curvi pieni di foglie brillanti che si moltiplicavano nel cielo azzurro. E intorno era pieno di fiori bianchi, gialli, rossi e rosa, e oltre a noi non c'era nessun altro. La strada era stretta, e camminavamo tutti in fila. Allora, al vedere le persone che amo lì, mentre camminavano lentamente, ho perso la cognizione del tempo e dello spazio e mi sono chiesta se quella non fosse una visione del paradiso.

A Taormina, l'ultimo posto che abbiamo visitato, la mia amica Yōko si è inaspettatamente tuffata nel mare di aprile. L'acqua era gelida, tanto che ho pensato che se l'anziano signore che era lì vicino e che si era tuffato insieme a lei, pensando che la temperatura consentisse di nuotare, fosse morto, si sarebbe trattato di omicidio. Eppure quando anch'io non ho resistito e sono entrata in acqua, in un attimo il raffreddore mi è passato. Mentre ero stretta nell'abbraccio di quell'acqua densa come una zuppa, sfavillante di luce solare, ma anche limpida da lasciar intravedere il fondo, è scaturita una forte energia vitale.

Alla fine del viaggio Giorgio, uno del nostro gruppo, ha comprato un profumo. Avevamo deciso di provarne tanti per sceglierne uno tutti insieme per lui. Il proprietario del negozio, con aria rilassata, ci consigliò: "Non prendetelo subito, fate un giro qui intorno e decidete quando sarà passato un po' di tempo così che la fragranza sarà cambiata". E così abbiamo fatto, siamo tornati al negozio, ma ancora non riuscivamo a scegliere, abbiamo fatto un altro giro ma eravamo ancora indecisi. Qual era il profumo migliore? Qual era il più adatto a lui? Avevamo tempo da perdere, e per questo ci potevamo permettere di essere estremamente meticolosi. Lui stesso non riusciva a decidersi, e mentre passeggiavamo intorno al negozio ha mormorato tra sé e sé: "Sarebbe bello poter vivere sempre così". Mi colpì profondamente. Subito dopo essere rientrato, morì sua madre. Anche se per poco, avevamo potuto provare il piacere di condividere una vita come quella, e questo mi rese felice.

Una vita come quella... Non so spiegarlo bene, ma non saremo per caso venuti al mondo proprio per vivere una vita come quella?

### Terme generose

In Italia, in Toscana, ci sono delle terme che assomigliano agli *ikkenyado* giapponesi. C'è un grande hotel con diverse piscine di acqua termale, e poi tutto intorno ci sono dei punti in cui ci si può immergere senza pagare. Tra quelle sorgenti termali, ce n'è una molto famosa, che compare spesso negli inserti delle riviste o nelle guide turistiche. È un posto molto bello, in cui l'acqua sgorga, diventa una cascata e poi confluisce in un fiume.

Ci siamo solo passati con l'auto e non ci siamo bagnati, però siamo andati a vedere.

Ognuno immerge i piedi, e ci sono alcune persone che, all'improvviso, si mettono in costume da bagno all'aria aperta. Non c'è nessuno stabilimento, quindi è gratuito. Ragazzi in campeggio, famiglie chiassose, coppie di fidanzati che amoreggiano, venditori ambulanti che fanno pipì, proprietari di cani che mentre li portano a passeggio approfittano per camminare nell'acqua... abbiamo visto le persone più diverse. È un luogo di incontro, e dal momento che la gente lascia i vestiti e i propri oggetti per entrare in acqua, ci sono anche molti borseggiatori e ladri, oltre che uomini che tentano di sedurre ragazze. Insomma, le emozioni non mancano.

Nelle fotografie di pubblicità nelle guide questo non traspare minimamente, anzi, a me aveva dato l'impressione di una specie di paradiso assolutamente privo di rischi.

In realtà è rumoroso, pericoloso, caotico. Quello scarto era davvero curioso.

Eppure, chissà perché, tutti sembravano divertirsi, e in fondo lo era, un paradiso.

In passato, mi era capitato di andarci in una stagione molto fredda, e di entrare in una struttura a pagamento. Rispetto a quella parte con la cascata, a ingresso libero, offriva qualche servizio in più ed era anche provvista di spogliatoi.

Fuori l'aria era molto fredda e il vapore si alzava fitto, al punto che non si riusciva a vedere niente davanti a sé. C'era odore di zolfo. Non ci si riusciva a scaldare neanche entrando nell'acqua tiepida della piscina grande, per quanto faceva freddo. Sembrava che dovesse nevicare da un momento all'altro. Fin quando non ci si riscaldava, era impensabile rilassarsi. Corsi verso gli spogliatoi, tra l'erba ghiacciata che crepitava sotto ai miei piedi. Poi mi cambiai, e intanto congelavo.

Quel giorno, anche dopo essere tornata in hotel, aver fatto una doccia calda ed essermi cambiata, ho continuato a sentire su tutto il corpo l'odore dello zolfo. E durante la notte, mentre dormivo, avevo le mani e i piedi caldi.

Nonostante ci fossi stata dentro poco tempo, doveva essere un'acqua davvero forte se riusciva a produrre effetti di tale durata. L'odore di zolfo è simile a quello di Hakone, ma ebbi l'impressione che fosse più intenso.

"Sarebbe bello, qualche volta, venirci con calma, in una stagione migliore" pensai, mentre, tremando per il freddo, mi allontanavo da quel posto con gli occhi sollevati verso il cielo plumbeo.

E alla fine, a giugno dello scorso anno, sono tornata a visitare quelle terme con il mio bambino.

Il clima era tiepido, e avevamo del tempo a disposizione, per cui decisi di restare lì per tre giorni.

Come immaginavo, l'atmosfera era completamente diversa rispetto alla stagione in cui si gelava. Il verde delle montagne era ancora fresco, e quell'acqua che in pieno inverno mi era parsa tiepida, adesso risultava calda.

Poiché vi si recavano anziani benestanti a scopo terapeutico, tutto, fin nei minimi dettagli, era perfettamente salutare, comprese le bibite del bar. Persino i succhi dei cocktail erano assolutamente freschi. Sia a colazione che a pranzo si servivano pasti ricchi di verdura, e si poteva prenotare ogni tipo di trattamento. A guardare il dépliant, c'erano tanti di quei programmi da far girare la testa. C'era di tutto, dall'estetista ai massaggi specifici.

In una volta sola abbiamo sperimentato tantissime cose diverse, dal massaggio hawaiano "lomi lomi" a quello ayurvedico e riequilibrante. E poi, dopo aver finito, ci siamo divertiti a confrontare le nostre impressioni.

Nell'hotel, ovunque si guardasse, c'erano solo uomini e donne anziani, ma quelle persone che stavano a mollo o nuotavano nell'acqua caldissima dell'enorme piscina sotto il cielo azzurro erano una gioia per lo sguardo.

La vasca principale... È una piscina in cui l'acqua arriva a due metri di profondità, e se non si vuole annegare ci si deve o sforzare di mantenersi a galla, o aggrapparsi a una fune. Immagino che per gli anziani sia faticoso, ma immergendomi per diversi giorni mi sono resa conto di quanto sia salutare allungare e muovere il corpo in acqua. Poiché nelle vasche termali giapponesi ci si muove carponi, l'acqua provoca solo una leggera debolezza, ed è completamente diverso. Piuttosto che stare immersa, avevo la sensazione di fare della ginnastica nell'acqua calda. Era un po' come nuotare nel mare.

L'acqua non è diluita, e quindi è estremamente aggressiva. Infatti in pochissimo tempo gli occhi bruciano e la pelle diventa rossa. Nonostante ciò, gli effetti sono assolutamente benefici. Quando si esce dall'acqua dopo aver nuotato per un po', si riesce a stento a mantenersi in piedi, e la sera si ha talmente sonno che ci si addormenta di colpo come se qualcuno ci avesse preso a pugni.

Anche per mio figlio sembrava fosse così, e il giorno che siamo stati immersi in acqua ha riposato nel pomeriggio, ha mangiato tanto, ha avuto un po' di prurito ma stava molto bene. Pensando che non fosse il caso di farlo immergere a lungo, stavamo in acqua soltanto un po' ogni giorno, ma sembrava stancarsi lo stesso, poi di pomeriggio dormiva profondamente, e non ha neanche sofferto il cambiamento di fuso orario.

Quando abbiamo lasciato il Giappone, io avevo il raffreddore, e in aereo ho avuto la febbre alta e sofferto di disidratazione. Stavo così male che, arrivata in Italia, mi hanno fatto una flebo in aeroporto. In seguito ha iniziato a farmi male lo stomaco a causa dell'antibiotico. Insomma, ero uno straccio. Eppure grazie alle terme mi sono ripresa.

Subito prima di partire, avevo assistito il mio cane che era morto dopo dodici anni passati insieme.

Qualsiasi cosa facessi ero triste, e quando mangiavo, anche se sapevo che erano cose buone, non sentivo nessun sapore.

Ma alle terme, mentre muovevo lentamente il corpo in quell'acqua pesante, avvertivo una strana sensazione, come se mi stessi sciogliendo.

Il cielo della Toscana era così azzurro che non sembrava vero, e così limpido da far pensare che lo si potesse attraversare da parte a parte. Piccole nuvole di forme deliziose fluttuavano in mezzo a quel cielo azzurro. Le montagne si susseguivano all'infinito con indosso ogni tonalità di verde. Sul fondo della piscina, alghe di fiume che crescevano lì da anni tremolavano con il loro verde brillante, come quelle del mare, e una schiuma soffice affiorava sulla superficie dell'acqua. L'odore dello zolfo rendeva l'aria soffocante, ma il vento fresco delle montagne raffreddava il sudore.

Amici cari erano venuti da diverse parti d'Italia, e tutti insieme ci siamo abbronzati ben bene a bordo piscina. Sull'erba il mio bambino giocava sorridendo.

Sarà anche stata una pace artificiale, ma che pace... Trattandosi di un hotel costruito con l'obiettivo di curare la stanchezza, era molto confortevole, e le persone che ci andavano, che fossero ricchi, o anziani, portavano tutti indosso lo stesso accappatoio, e non si distinguevano l'uno dall'altro. Erano lì per riposarsi, senza preoccuparsi di nulla, e avevano tutti un viso così sereno...

Non ci si cura del tempo, e questo è uguale a ciò che accade nelle terme giapponesi; di diverso c'è che manca forse la delicatezza ma ci sono tanta libertà e tanti volti sorridenti, e siccome intorno non c'è nulla non si esce mai...

"Alcune cose sono un po' troppo decise, selvagge, ma per me adesso questa dose di forza è perfetta" pensai. Ero così stanca che sentii come l'impulso di infierire su me stessa, di arrivare allo stremo, sforzandomi di nuotare per non so più quanto tempo in quell'acqua caldissima, ma mi ha fatto bene.

Poi quando sono tornata a casa sono andata a fare un massaggio dove vado di solito, e la massaggiatrice si è sorpresa.

"Non so come, ma non è il corpo della solita signora Yoshimoto. È morbidissimo!"

Io ero assonnata, sotto l'effetto del jet lag, depressa, oberata di lavoro... la guardavo pensando che dovevo essere un rudere, e quindi ci rimasi male.

"In che senso è diverso?"

"Di solito qui o qui (e indica le spalle) è molto ruvido, e invece stavolta no... È davvero morbido!"

Mi resi conto che era merito delle terme, perché in quei giorni non avevo fatto niente per il mio corpo.

E poi ho pensato che quel benessere fisico non fosse solo merito delle terme, ma della bellezza e della leggerezza di quel paese chiamato Italia.

Ho l'impressione che quando gli italiani soffrono, lo facciano con una profondità che i giapponesi non possono neanche immaginare, ma di fronte alle cose belle e buone riescono ad aprirsi incondizionatamente. La prudenza non interviene a ostacolare il loro star bene. Anche a Taiwan e in India ho provato la stessa sensazione. Se non si hanno soldi non si hanno, e se si ha da fare si ha da fare, ma qualcosa di divertente o di buono, e di unico, era sempre a disposizione.

È un paese in cui niente va come deve andare, e si deve spesso cedere a qualche compromesso, ma è proprio questo che mi piace.

Il cibo è delizioso, e quello che gli occhi vedono è bello. Senza divertirsi, la vita è difficile... è una società che riflette in maniera immediata tutto questo. E per quanto possano sentirsi giù di morale, gli basta mangiare qualcosa di buono e immergersi nell'acqua termale in uno scenario stupendo per ritemprarsi. Forse la vita è fatta di cose semplici, e si può fare bene al proprio corpo anche senza tanto lusso. Questo è ciò che ho pensato.

Sono una persona svogliata e intollerante, e quindi viaggiare non mi piace. Però ogni volta che sono costretta a farlo per lavoro, poi mi restano ricordi importanti. Per questo faccio sempre il possibile per partire.

Dormire in posti che non conosco mi dà ansia, e quindi non mi riposo quasi per niente. Inoltre di giorno ho sempre paura di essere derubata, e quindi cammino a passo affrettato, il che non è esattamente rilassante, e anche se me ne sto al sicuro in un hotel, assorta a guardare il panorama, mi viene da domandarmi se quelle straordinarie montagne o quel mare siano reali, e sul momento non mi rendo conto di nulla. Alla fine mi ritrovo sempre debilitata, stanca e con la mente proiettata a quello che dovrò fare dopo.

Ma si dice che la magia del viaggio cominci una volta che si è ritornati a casa.

Quando sto guardando il cielo attraversato dai fili dell'elettricità nel solito disordine del mio appartamento, o quando osservo l'andirivieni delle persone mentre prendo un tè con qualche amico, mi tornano in mente all'improvviso scenari stupendi visti durante i miei viaggi. Che sia una manta che nuota in un mare trasparente, o l'ombra densa e appuntita di una montagna colpita dai raggi del sole, quelle immagini si ripresentano vivide. In quei momenti mi dico che anche se è stato faticoso, ho fatto bene ad andare.

Per come sono, il solo possedere un passaporto mi sembra strano, e quanto all'andare all'estero per lavoro, ancora non riesco a crederci.

E poi ho avuto un bambino, e lo porto all'estero con me... è una me stessa che ancora non mi sembra reale. I giorni passano e io non me ne accorgo, mentre sono con la mente rivolta a qualcosa. Nel momento in cui finisco il lavoro che ho davanti, il viaggio finisce: è questa la sensazione che provo.

In realtà, a passare come fossero una tempesta sono i giorni irripetibili dell'infanzia di mio figlio. Forse succederà come con i viaggi: quando un giorno lascerà il nido per la prima volta, avrò piena coscienza del tempo in cui è stato insieme a me.

In passato, quando ero ancora giovane e capivo poco o niente, ho ricevuto un premio letterario promosso dalla linea giovane della casa di moda Fendi. Come ricordo ho ricevuto una collana di cristallo molto bella. È un oggetto stupendo, composto di diverse pietre traforate ispirate alle mie opere. In quell'occasione ho fatto la conoscenza di Maria Teresa Fendi, una persona di gran gusto che, nonostante avesse la mia stessa età, era esperta di business e aveva un suo proprio marchio. Maria Teresa si era appena fidanzata e aveva un sorriso radioso, e Fendi non era ancora nella situazione complessa che si sarebbe creata in seguito alla fusione.

Il premio, pensato solo da giovani, era curato nei minimi dettagli sia per quanto riguarda la cerimonia che la conferenza stampa. Hanno ottenuto di poter usufruire di una intera cittadina di campagna, e il tutto si è svolto nella piazza, mentre la sera un cantante di moda tra i ragazzi si è esibito in una piccola sala. Sia l'iniziativa che lo staff erano pieni di energia. C'era un'amica di Maria Teresa, una critica d'arte molto in gamba di nome Maria Silvia, che era incredibilmente eccentrica, e quando mi incontrava si divertiva a spaventarmi per scherzo, mi proponeva di andarci a cambiare d'abito, mi sorrideva e mi prendeva per mano.

Mi ricordo che durante la settimana di assegnazione del premio, io e le mie segretarie ci siamo divertite come matte con quella donna.

Quando mio figlio ha compiuto un anno, approfittando di un impegno di lavoro che avevo da quelle parti, l'ho portato con me per una breve vacanza a Roma. Ovviamente ero preparata al peggio e sono partita assolutamente consapevole.

E quindi, dopo tanto tempo, le ho rincontrate.

Siamo andate alla nuova casa di Maria Teresa. I giovani fidanzati di allora erano adesso una bellissima coppia di sposi e vivevano serenamente in un antico e raffinato appartamento con una piccola terrazza dalla quale si vede tutta Roma.

Maria Silvia mi è corsa incontro da lontano chiamando "Bananaaa!" e ci siamo abbracciate forte. Poi ha messo al collo del mio bambino una collana stupenda fatta di tante sfere di legno che sembrava molto antica. Mentre noi due camminavamo a braccetto, Maria Teresa spingeva il passeggino del bambino, e così procedevamo lentamente per le strade di Roma.

Quello scenario mi sembrava come un sogno troppo bello per essere vero.

Rincontrare dopo dieci anni persone conosciute in gioventù, quando non avevamo niente a parte l'entusiasmo, ma tutte avevamo trascorso anni, ognuna a suo modo, impegnate ognuna nella propria carriera... Sia loro, sempre occupate con il lavoro, che io, che raramente vado a Roma, pensavamo che non ci saremmo mai più incontrate, e quel tempo ci sembrò come un dono inaspettato degli dèi.

Guardai Maria Teresa mentre pensavo a quanto tutto quello mi fosse mancato, e a quanto fossi felice, e insieme a lei i miei occhi videro il passeggino e dentro, inconsapevole di trovarsi a Roma, mio figlio.

"Ma allora queste cose succedono veramente..." mi dissi, emozionata.

Io mi sono sempre un po' vergognata del fatto che non mi piaccia né viaggiare né raccogliere materiale per i miei libri, però forse è meglio così. In fondo se mi proponessero di far raccogliere il materiale a qualcuno che sta con me per una settimana, mi darebbe fastidio, per cui non vorrei fare neanche l'opposto. Però è difficile che, indolente come sono, riesca da sola a concentrarmi su qualcosa e portarla avanti. Anche se penso che devo dedicarvi qualche momento, non lo faccio. Il caso, l'umore, il tempo... sono cose meravigliose, che arrivano inaspettatamente, dopo che altre si sono susseguite. Ho pensato che immettersi nel flusso della natura e seguirla non è noioso, perché nella natura può succedere di tutto.

Sono andata in Italia con il bambino, ed è stato meno faticoso che in Giappone.

In Italia le strade sono di pietra, nei bagni non ci sono i fasciatoi, i ristoranti sono pensati per gli adulti, e quindi ero preoccupata di avere problemi. Invece è stato estremamente semplice. Tanto per cominciare, è un paese che sempre più sa accogliere persone su sedie a rotelle. I comportamenti ineducati ovviamente non sono ammessi, ma rispetto al Giappone ci sono molti più ristoranti in cui si possa entrare con i bambini, a patto che questi non facciano confusione. Dipende soprattutto dal modo di pensare che alle strutture antepone le persone, considerandole in tutta la loro umanità.

Nelle località turistiche giapponesi i luoghi privi di barriere architettoniche stanno senza dubbio aumentando, e ci sono toilette perfettamente attrezzate perché vi si possa entrare con i bambini, per cui a prima vista sono più che confortevoli, ma nella realtà non è esattamente così.

Se si verifica una minima variazione del programma – una persona con il passeggino arriva fin quassù e ha bisogno di andare in bagno: come si fa? – capita spesso che la struttura non sia in grado di far fronte alla situazione. Nella maggior parte dei casi c'è un programma prestabilito del tipo "Le persone che hanno difficoltà nei movimenti possono stare qui e qui. State seduti qui per cinque minuti, bevete questa bibita, andate in bagno tra un quarto d'ora, per favore. Potete osservare il panorama da questa angolazione". Ovviamente sto esagerando, ma le cose vanno in questa maniera.

L'umanità delle persone, i loro desideri, tutto questo non sembra essere preso in considerazione.

Il Giappone è pieno zeppo di hotel privi di barriere architettoniche solo all'apparenza, e anche se si tratta di posti vagamente di buon livello, capita spesso che le strade siano fatte in modo tale che le persone su sedia a rotelle o con i passeggini debbano starsene in disparte. Probabilmente in molti casi non hanno fatto i test neanche una volta.

Negli alberghi europei le persone su sedia a rotelle circolano tranquillamente, e per questo motivo di solito non ci sono dislivelli. I cani fanno i loro bisogni per strada, così come i piccioni che sporcano dappertutto, ma anche le persone possono stare a proprio agio. Le persone non sono messe da parte.

In Giappone, se un bambino piange riceve giocattoli o dolcetti, e c'è sempre il seggiolone, indipendentemente dall'età. Ma ho l'impressione che sia solo un atteggiamento di facciata. Capita persino che in percorsi teoricamente riservati a persone sulla sedia a rotelle manchi lo spazio necessario a effettuare, per esempio, inversioni di marcia. Sembra proprio che in Giappone ormai si siano confusi la gentilezza e il riguardo con l'apparenza.

L'Europa è tutta all'insegna dell'approssimazione, e in un certo senso è necessario armarsi di intraprendenza, ma ho la sensazione che ai bisogni delle persone si guardi con maggiore indulgenza.

Immagino che anche coloro che si spostano sulla sedia a rotelle la pensino così. Tra l'altro deve essere spiacevole, quando già non ci si può muovere liberamente, essere ulteriormente limitati da falsi atteggiamenti.

Una città in cui in modo del tutto naturale circolino bambini, donne incinte, anziani e persone sulla sedia a rotelle, ma senza che li si soffochi di attenzioni, con le sole strutture necessarie e lasciando che per il resto le persone si aiutino a vicenda, usando la testa... questa è una città fatta di esseri umani.

Tutti gli anni, all'inizio dell'estate o dell'autunno, vado in Italia e sto con i miei amici, ma quando mio figlio non aveva

ancora un anno non ero potuta andare, e quella volt
venuti gli amici dall'Italia in Giappone. Insieme erav
dati ad Amami Ōshima.

Yōko, che era venuta per aiutarmi con il bambino, indossava una t-shirt della Benetton acquistata a buon mercato in India durante un viaggio che avevamo fatto insieme. Fui
presa da una grande nostalgia, e iniziammo a ricordare insieme diversi episodi di quel viaggio. Yōko disse:

"Ormai questa t-shirt è ridotta a uno straccio. L'ho portata con me pensando che dopo averla indossata qui al mare
me ne sarei separata, però mi dispiace".

Allora un nostro amico italiano, che aveva ascoltato tutto, le disse sorridendo:

"Infatti, non devi buttare via gli oggetti a cui tieni. Perché
invece non ci racconti qualcosa di quel viaggio?".

A sentire quelle parole, una sorta di nostalgia per l'Italia
mi riempì il cuore, pensai che l'Italia fosse proprio quello, e
mi venne voglia di tornarci. Custodiscono vecchi oggetti non
perché siano avari, ma perché sanno che ogni ricordo è insostituibile, e se ne prendono cura.

Non è una cosa che si ottiene attraverso conferenze, regole o manuali. Essere persone significa stare con altre persone, custodire il desiderio di attraversare all'infinito città per-
meate di nostalgia e ricordi. Significa voler vivere nel luogo
in cui si è nati, in cui si è cresciuti, e quando i propri figli un
giorno saranno grandi, e poi con i propri nipoti, vivere nello
stesso paese, nella stessa città...

Spero che il Giappone non se ne dimentichi mai, che se
ne ricordi.


Mozuku


Sto imparando a ballare l'hula, e negli ultimi tempi mi sono dedicata alla danza delle alghe.

È un'attività difficile, che consiste nel rappresentare sotto forma di danza la bellezza delle tradizioni delle Hawaii mimando con il proprio corpo i movimenti che si fanno quando si raccolgono le alghe o quando le si mettono nei cesti, il calore della sabbia, o il canto delle alghe stesse che vogliono essere raccolte. Ma, essendo piuttosto imbranata, ballo in modo tutt'altro che aggraziato, però una cosa è certa: danzando mi è venuta voglia di andare al mare.

Per me che normalmente vivo a Tōkyō, l'atto stesso di raccogliere le alghe mi era del tutto estraneo. Non sapevo neanche con certezza se ci si dovesse immergere completamente, o solo fino alla vita.

Lo scorso anno, mi sono arrivati a sorpresa due grandi contenitori Tupperware pieni di *mozuku* surgelate. Me li aveva mandati un mio amico che vive a Okinawa.

Dice che nel mare vicino a casa sua ci sono molte alghe *mozuku* che, fuoriuscite da un bacino di allevamento, crescono naturalmente. Ho il dubbio che si tratti di furto, ma in fondo non è che le venda, ne fa un uso personale, e probabilmente lo lasciano fare. Pare che ci sia anche una vecchietta che viene in macchina e riempie interi contenitori ermetici da spedire alla sua famiglia che vive in un'altra città.

Sono rimasta senza parole, e mi ha emozionato l'idea che una cosa del genere si possa fare con tale facilità. Ho concluso la nostra telefonata dicendogli che l'anno successivo volevo andare io stessa a raccogliere *mozuku*.

Da buon topo di città, l'immagine che avevo delle alghe *mozuku* era quella di un cibo che si vende al supermercato, chiuso insieme a un po' d'acqua in confezioni quadrate e trasparenti, con una piccola quantità di condimento sul lato. Oppure di un alimento che in birreria è servito sotto aceto... non avevo la minima idea di come crescessero, e anche se pensavo che un intero Tupperware corrispondesse a una grande quantità, non riuscivo lontanamente a immaginare quante ce ne fossero nel mare.

Alla fine, anche senza sapere bene cosa fossero, capivo però che erano buone, e quindi ero felice di mangiarne una buona dose ogni giorno.

Le ho mangiate nel modo classico, con aceto e salsa di soia, insaporite con un condimento dolce, nella zuppa di *miso* e con la pasta.

Di quella pasta ho scritto anche in un romanzo. È la pasta alle alghe *mozuku* che il fidanzato della protagonista di *Nanku-runai* (*Sarà quel che sarà*), un romanzo ambientato a Okinawa, le insegna a preparare all'inizio della loro relazione.

È una ricetta che ho inventato io stessa, una volta, senza starci troppo a pensare. Si scottano *mozuku*, aglio e *goya*, si aggiungono alla pasta e si insaporisce con salsa di soia, do-podiché vi si grattugia sopra del parmigiano ed è pronta. È veramente buona. Se la si lascia raffreddare perde di gusto, quindi va mangiata subito, appena cotta, come per gli *udon*.

In quel periodo, il mio cane era malato e si capiva che non avrebbe vissuto a lungo.

All'incirca due settimane prima che mi arrivassero le alghe *mozuku*, quando curavo il mio cane, andai a Okinawa solo per due giorni, e quel momento di svago trascorso con il mio amico fu per me un grande aiuto. Bastò procedere per il lungo-mare con la sua auto, senza parlare di niente in particolare, e la stanchezza che avevo accumulato per prendermi cura del cane svanì. Io non gli dissi che il mio cane stava per morire, e lui non mi raccontò quasi nulla delle cose che erano successe do-po la morte di sua moglie. Abbiamo solo trascorso del tempo insieme, nella consapevolezza che nella vita succede di tutto. Mi ricordo perfettamente che, sebbene non avessimo condivi-so nulla delle storie che ci portavamo dentro, mi sentii solleva-ta. Così come ci sono momenti tristi e difficili, siamo anche in grado di divertirci senza freni: la vita funziona alla perfezione.

Quando mi sono arrivate le alghe *mozuku*, e ho aperto il contenitore e sentito l'odore del mare, mi è venuta un po' di malinconia nel ripensare ai bei momenti di quel viaggio. Allora, mentre le mangiavo, il mio cane, anche se stava male, era ancora vivo e dormiva vicino ai miei piedi. Per lei dovevano essere piacevoli i rumori che facevo mentre preparavo le alghe *mozuku* in tanti modi diversi. Il mio bambino gattonava a destra e sinistra, la famiglia mangiava riunita, si sentiva la televisione... era un'atmosfera che per anni era stata sempre uguale, a cui il mio cane era affezionato. Condividevamo il calore della nostra casa.

E adesso, è rimasto un ricordo meraviglioso.

Lo scrivo di continuo, e non me ne stanco mai. Quando moriamo, non possiamo portare niente con noi, né il denaro, né la casa, né l'auto, né la persona amata, né la nostra famiglia. Neanche i vestiti e gli anelli che abbiamo indosso possiamo portare. Quello che possiamo portare, invece, sono i ricordi, tanti da non poterli tenere tutti. Sicuramente ci saranno anche brutti ricordi. Però forse quando moriamo, anche quelli si trasformano in bei ricordi. E, mi domando, accumulare bei ricordi, non è forse la sola cosa che possiamo fare nella vita?

Sono in molti a immaginare Okinawa come un luogo terapeutico, dove gli anziani sono tutti gentili, i mercati hanno alimenti freschi e squisiti, la natura meravigliosa, il mare azzurro: ovunque si vada si trovano solo cose buone... il massimo. In un certo senso, è vero. Infatti, per chi ci vive non mancheranno i problemi, e se ci si va carichi di aspettative inevitabilmente si resterà delusi, ma il fatto che quello che tutti dicono in linea di massima poi si verifica, è una delle cose straordinarie della vita.

Quando si parte certi che sia impossibile, si può scoprire con emozione che in fin dei conti quell'immagine approssimativa non è poi così lontana dalla realtà.

Per esempio, Kyōto è davvero come dicono, cioè una città fredda nei confronti dei nuovi venuti, ma estremamente variegata, piena di fascino per gli stranieri, in cui la gente non dice le cose tanto per dire, ma non mente neanche, le persone sono tutte raffinate, i templi sono meravigliosi e c'è moltissimo verde, ed è tutto un concentrato di fiumi, montagne e cultura.

Anche l'Italia. Dicono che la gente sembra sempre allegra, che la cucina è deliziosa, che se ci si stanca si dorme al pomeriggio e poi si va avanti a divertirsi fino alla sera tardi, che uomini e donne si innamorano quando vogliono, in piena libertà, che nelle chiese ci sono opere d'arte tanto belle da mozzare il fiato, che le piazze sono stupende e piene di sculture tanto famose da chiedersi se sia normale che siano posate lì, e che le città da Nord a Sud sono tutte bellissime, e ancora, dicono che il Nord e il Sud sono come due nazioni differenti. Ed è davvero così.

Gli unici che possono rovinare questa immagine, o disegnare una nuova carta tutta nostra, siamo proprio noi stessi, e nessun altro.


E poi il mio cane è morto... Se ne è andato lasciando dietro di sé tanti ricordi, e così nella tristezza è passata l'estate, sono arrivati l'autunno, l'inverno, poi è iniziato un nuovo anno, e dopo la primavera è venuta subito l'estate... È arrivata l'ora di andare a raccogliere le alghe *mozuku*.

Al momento di rientrare da un viaggio di lavoro a Taiwan, non ho voluto sentire ragioni e mi sono diretta a Okinawa.

Mi sono imbarcata su un aereo in cui non c'era quasi nessun giapponese, ho vissuto l'esperienza di sbrigare le pratiche di rimpatrio a Naha e sono arrivata a Okinawa quando il cielo di giugno sembrava sempre sul punto di aprirsi, nel bel mezzo della stagione delle piogge.

Sfortunatamente quel giorno è stato all'insegna della pioggia, ma tanto ci saremmo bagnati comunque.

Dopo aver parlato con un esperto di *mozuku*, ci siamo precipitati nell'acqua bassa con le reti che il mio amico aveva preparato. Lui, che era abituato, aveva fatto in modo che arrivassimo in mare proprio al momento giusto, perché se la marea fosse stata alta ci saremmo dovuti immergere, invece in quel momento si era ritirata, e quindi potevamo raccogliere le alghe semplicemente camminando.

Con l'acqua che mi arrivava fino alle ginocchia, ho visto che tantissime alghe *mozuku* crescevano intorno al corallo morto (questa è una cosa molto triste, perché il corallo che oggi è in vita è soltanto quello davvero giovane. La vista delle immense distese di corallo morto sul fondo candido del mare è sempre deprimente).

Era completamente diverso da ciò che pensavo. Ero convinta che le alghe *mozuku* fossero difficili da trovare, un po' come i funghi *matsutake* o il ginseng, e invece ce n'erano a volontà. Erano così tante che una persona sola non sarebbe riuscita a prenderle tutte. Ma se tutti iniziassero a raccoglierle in breve tempo non ce ne sarebbero più, e quindi lasciando ai singoli le eccedenze degli allevamenti si mantiene un equilibrio perfetto.

Siamo stati attenti a raccogliere solo la quantità di *mozuku* che volevamo mangiare, senza prendere ricci di mare o altre alghe. Completamente assorti in quell'attività, ci addentravamo in luoghi sconosciuti. Ci appassionavamo ancora di più, e ne sceglievamo sempre di più sottili e appetitose.

Si era già in giugno, e quindi erano più spesse delle alghe *mozuku* che si comprano al supermercato, ma anche a mangiarle sul posto, con il sapore di sale dell'acqua di mare, erano deliziose.

Ho pensato che stavo consumando uno snack in un luogo sconfinato, e che potevo averne a volontà! Se fosse stato bel tempo, avrei potuto bere della birra, cogliere *mozuku*, poi bere di nuovo birra, e continuare all'infinito. Ma pioveva, quindi mi è andata bene (?). Anche il bambino, che non aveva ancora due anni, masticava le *mozuku* salate. Selvaggio...

E io per la prima volta ho capito il senso di quella danza che ho praticato finora. È così, canta queste cose, e quel titolo, *Il dono del mare*, è un ringraziamento al mare, proprio come adesso.

Delle volte succede di prendere coscienza di qualcosa all'improvviso, e per me in quel momento fu proprio così. Noi raccogliamo quello che possiamo raccogliere, e non lo vendiamo. Quello che possiamo raccogliere, sarà mangiato dalle persone che abbiamo intorno, o dalle loro famiglie. Mentre è ancora fresco.

Raccogliere qualcosa, e poi mangiarla, è proprio così che dovrebbe essere, pensai.

Il giorno successivo, ho mangiato alghe *mozuku* condite con aceto dolce insieme a Yamanishi, che disegna le illustrazioni di questa serie. Come antipasto di una normale cena.

Fu così strano...

Fino al giorno prima ero al mare, e adesso a Tōkyō. In casa ci sono le alghe *mozuku*, e sono stata io a raccoglierle. Sembrava tutto un sogno.

Ma era un sogno stupendo.


*Cose che mi sembra di sapere*

A Nasu c'è un albergo che si chiama Tenger.

È una riproduzione di tende simili ai *ger*, quelle costruite dalle tribù nomadi della Mongolia.

Anche se le chiamo tende, sono strutture molto stabili costruite intorno a una colonna portante, e al loro interno possono vivere diversi adulti. La colonna centrale è un punto sacro, e quindi nessuno ci si può avvicinare. Nella stufa il fuoco è sempre acceso, e l'aria passa attraverso un'apertura sul soffitto. Le tribù nomadi stanno per un po' in un luogo, poi chiudono la tenda e si spostano e la rimontano nel posto successivo. Penso che siano delle costruzioni estremamente razionali per le sconfinate pianure mongole.

La famiglia di mio marito vive a Nasu, e poiché volevamo provare a passare la notte nei *ger* con il bambino, ci siamo andati tutti insieme. Mio suocero, mio marito, Nattsu, del mio ufficio, io e infine il bambino, che non aveva ancora un anno: cinque persone in tutto.

All'inizio pensavo che potesse venirne fuori una storia interessante, ma non mi facevo troppe illusioni. Mi dicevo che in fondo i *ger* hanno un senso quando sono in Mongolia, mentre in Giappone è solo apparenza.

Ma arrivati lì, era tutt'altra cosa. Non so neanche io perché, ma è stato davvero divertente.

Ci infilammo in una porticina simile a quella delle sale da tè, per ritrovarci in una stanza dal soffitto alto, con letti di legno appoggiati in circolo contro il muro, con la colonna al centro. I tessuti della tappezzeria e i caratteri mongoli erano identici a quelli di un vero *ger*. Le uniche cose disposte per i visitatori giapponesi erano la finestra chiusa per via del clima nevoso di Nasu, il sistema di riscaldamento, un piccolo televisore e il fatto che nella stufa il fuoco non fosse acceso. Ovviamente il bagno non c'era. L'immagine di tutti quei veri *ger* uno accanto all'altro sulla vasta distesa d'erba era stupenda. Si percepiva la volontà delle persone che vi lavoravano di avvicinarsi anche solo un po' alla Mongolia, il loro amore per quella terra, l'impegno a trasmetterne la bellezza.

Di solito, quando si sta presso strutture con tende, la cena è tanto misera che viene voglia di piangere, ma qui era diverso. La mensa, simile a quelle che si trovano negli alloggi che accolgono le gite scolastiche, era sobria ma al contempo ben curata, si trasmettevano filmati in dvd che illustravano la natura della Mongolia, c'erano birra e liquori mongoli, e ci hanno offerto da mangiare uno *shabu shabu* di carne di agnello con salse mongole e spezie. Sebbene non costasse molto, continuavano a portare verdura e carne a volontà, tanto da non riuscire a finirle. Le persone che lavoravano alla mensa erano tutte sorridenti e simpatiche, e qualsiasi cosa si chiedesse loro rispondevano gentilmente.

Quando, di ritorno dal bagno all'aperto, ho alzato gli occhi al cielo stellato, con l'enorme prateria di fronte a me e i *ger* uno accanto all'altro, sembrava proprio di essere in Mongolia. Anche andare in bagno era divertente. Ogni volta che aprivamo la porta del *ger*, arrivava aria fresca dall'esterno, e nonostante facesse molto freddo era piacevole. Nei bagni c'era il riscaldamento, poi una volta finito si usciva di nuovo fuori, e si tornava al proprio *ger*, camminando a passo svelto sotto il cielo stellato.

La mattina, al risveglio, l'interno del *ger* era completamente buio, ma una volta usciti ci si trovava all'improvviso circondati da una luce abbagliante.

È un tipo di vita tutt'altro che comodo, eppure non ho pensato neanche per un istante che fosse spiacevole. Tutto quello che c'era in quel posto così essenziale era avvolto dall'autentico calore di persone che, pur trovandosi in Giappone, erano legate alla Mongolia. Per questo, qualsiasi cosa facessi, cresceva in me il desiderio di andare in Mongolia, un giorno, e alloggiare in un vero *ger*.

Poiché c'era il bambino, tutti i membri dello strano gruppo dovevano fare attenzione e seguirlo negli spostamenti, per cui all'interno del *ger* eravamo in perfetta sintonia, ed era divertente prenderci cura di lui tutti insieme. Guardavamo la televisione, preparavamo il tè, facevamo i letti. Negli alberghi normali non è mai così, ed è difficile che persone tanto diverse per età e posizione si ritrovino a dormire una accanto all'altra. Se siamo riusciti a trascorrere ore così spensierate è proprio perché eravamo in un *ger*.

Quando nel cuore della notte mio suocero si è svegliato ed è uscito a piedi nudi per andare in bagno, ho pensato che fosse proprio un vero uomo. Ma la cosa ancora più buffa è stata che a mio marito, che dormiva, ha detto: "Aggiusta le coperte!".

Mio marito deve essere cresciuto sentendosi dire queste cose da suo padre, e anche se ormai è un uomo di quarant'anni, evidentemente per lui resta sempre un bambino...

A vedere un nonno così, nella sua naturalezza, pensai che in fondo anche il Giappone può essere un posto divertente.

I letti di legno duri, noi che stavamo tutti insieme senza neanche una finestra, era tutto perfetto. Il fatto che il letto più in fondo di tutti spettasse al padre, improvvisamente aveva senso.

La mattina dopo, abbiamo indossato gli abiti della tribù e abbiamo fatto la foto.

Siamo riusciti a fare una foto talmente ben riuscita che sembrava che non ci fosse neanche un giapponese, ma che tutti fossimo mongoli. I nostri sorrisi raccontavano la felicità di essere insieme.

Da qualche parte nel nostro patrimonio genetico deve esserci qualcosa che ci fa pensare con nostalgia a tutto quel mondo.

A Ōsaka c'è una compagnia teatrale che si chiama Ishin ha.

È famosa perché i suoi componenti allestiscono da soli set enormi. Prima delle rappresentazioni, costruiscono delle vere e proprie città in grande scala, e poi ci recitano dentro.

È risaputo che molto è stato scritto su di loro, data la notorietà di cui godono per le dimensioni e l'aspetto delle scenografie. Io invece voglio parlare delle fantastiche bancarelle che allestivano oltre alla scena.

Adesso che non recitano più a Nankō non le si possono vedere, ma all'epoca in cui vi tenevano spettacoli ogni anno, erano sempre davanti all'entrata.

Il loro aspetto di costruzioni in legno a schiera ricordava le città giapponesi degli anni quaranta e cinquanta, ma anche i piccoli villaggi della Thailandia o del Nepal. Nella piazza al centro c'era sempre il fuoco acceso, e intorno la gente era seduta sulle panchine e mangiava e beveva in allegria. C'era di tutto, dai negozi di vestiti usati a bancarelle che vendevano curry, ravioli al vapore, shish kebab, spiedini arrostiti, riso all'uovo, *oden*... però nessuno vende cibo precotto, né prodotti da *fast-food*. Tutto è inequivocabilmente *slow-food*. In tutti i negozi ci sono birra, tè caldo al rum o sakè, e a seconda del posto si può anche salire a bere al secondo piano.

Le persone mangiano lì prima dello spettacolo, si danno appuntamento, bevono un po', e al termine di quelle meravigliose performance, ancora piene di eccitazione, vanno a consumare del sakè e qualche snack. Si chiacchiera amabilmente anche con persone che non si conoscono, e chi ci va da solo non si sente né triste né in imbarazzo.

Il presidente Matsumoto, gli attori, coloro che hanno partecipato allo spettacolo, i musicisti... tutti passeggiano tranquillamente, mescolati a quella confusione. Bevono una birra, si siedono come se niente fosse a mangiare *oden*.

Nel mondo codificato del teatro di Tōkyō questo è inimmaginabile. Quel fuoco al centro sarebbe impossibile. Invece una delle cose principali era proprio quel fuoco al centro, con qualcuno che di tanto in tanto aggiungeva della legna e stava a guardare le fiamme. Il crepitio, il colore del fuoco che si rifletteva nel cielo erano fondamentali. Si poteva parlare interrompendosi di tanto in tanto, perché nel contempo si stava guardando il fuoco, o si poteva stare in silenzio perché immersi nell'eco proveniente dal palcoscenico. Capitava quasi sempre in giornate fredde d'autunno, ma non si provava la sensazione di stare gelando.

Se nel quartiere ci fosse un posto simile, gli abitanti andrebbero tutti d'accordo e l'atmosfera sarebbe vivace. Ci si potrebbe andare per incontrare qualcuno, sapendo per certo di trovarlo lì. Certo, ci sarebbero anche aspetti fastidiosi, ma si imparerebbe ad affrontarli.

Non ho vissuto neanche una volta così, eppure per qualche ragione ho avvertito una profonda nostalgia verso quel luogo con il suo vapore, il profumo del cibo, le risate, la gente di ogni età che camminava nelle strade.

Immaginare un luogo che non c'è, un luogo come quello, non è difficile per gli uomini.

Il Roppongi Hills e il Marunouchi Building sono belli, ma secondo me quello che realmente desideriamo sono semplici piazze e stradine con piccoli negozi. Qualcosa di caotico e di confuso, che non si risolva nella solita uscita per fare acquisti. È proprio perché cose del genere mancano che i rapporti umani si fanno superficiali, soffocanti.

La domenica vado spesso a mangiare nei centri commerciali, e mi capita di vedere tre generazioni insieme che consumano il loro pasto. Padre, madre, figlio, nuora, nipoti... tutti sono seduti in maniera composta, e in maniera composta mangiano i loro menu fissi e parlano.

Anche questo genere di riunione è piacevole, ma quanto sarebbe divertente se ci fossero strutture come i *ger* o come quelle bancarelle. Siccome adesso non ci sono, non ce ne rendiamo conto, ma se ci fossero, probabilmente, il fine settimana andremmo tutti lì.

Tutti andiamo a Taiwan e ci divertiamo a mangiare spuntini, *nikuman*, dolci e *ramen* alle bancarelle. Anche a Okinawa il mercato riscuote sempre un grande successo. Tra le gioie del viaggio ci sono quelle piccole pause durante le quali si mangiano *andagi*, *tenpura* o gelato.

Perfino agli scavi di Pompei, ho visto bar e locali all'aria aperta. Pare che fossero una delle attrattive maggiori, e all'interno c'erano moltissimi orci per il vino uno accanto all'altro.

Ma nella Tōkyō di tutti i giorni, posti così allegri non ci sono affatto. I caffè sono quasi tutti posti snob.

I musei del curry e dei *ramen* sono all'interno di edifici, così come il Gyōza Stadium, ma mancano posti in cui si veda il cielo, in cui si possa guardare il fuoco e mescolarsi a tante altre persone.

A volte, durante qualche festa, a Jiyūgaoka arrivano delle bancarelle, e tutti si ammassano per comprare cose da mangiare e da bere. Come si conviene a una festa, tutti hanno espressioni vivaci, e anche uomini e donne anziani si divertono come fossero bambini.

Ogni volta che vedo una cosa del genere, mi domando se non sia proprio questo che la gente desidera.

Se ci fossero posti in cui persone di ogni tipo e di ogni età potessero mescolarsi e scatenarsi al punto da non riuscire più a fermarsi, penso proprio che sarebbero sempre in piena attività.

## II

Qualsiasi cosa venga fuori
dal contatto con forme di vita
diverse da sé,
aggiunge un buon sapore all'esistenza.

## Il profumo della primavera

Finora sono andata in tanti paesi stranieri, e ho visto tanti scenari diversi. Ho osservato intensamente la natura meravigliosa di ognuno di quei paesi, che comunicasse imponenza o una spiritualità disarmante, o che racchiudesse in sé la forza primordiale della nascita del genere umano. Ma la natura giapponese, con la sua delicatezza, è un'altra cosa. In una piccola isola coesistono a stretto contatto i più diversi ambienti naturali, in tranquillità, semplicità e forza... l'armonia dolce come musica di tutti questi elementi è una caratteristica peculiare del Giappone. Per questo, più vado all'estero e più mi innamoro della natura giapponese, e cresce in me il desiderio di rappresentarla attraverso la scrittura.

Si dice che il vero cuoco, per scongiurare il rischio di non riconoscere i sapori, non beva mai alcolici il giorno prima di lavorare, e che durante le pause non consumi neanche bevande dal gusto pronunciato, come il caffè. In questo modo riesce a cogliere il vero sapore del sale. Non posso fare a meno di pensare che anche per la natura del Giappone funzioni allo stesso modo. Se la sensibilità di colui che si presta a percepirla è raffinata, allora costui sarà accolto a poco a poco nelle profondità del suo seno, e ne avvertirà il fascino in tutta la sua dolcezza. La sua freschezza e la sua forza non lo incalzeranno tanto da soffocarlo, ma gli si avvicineranno gradualmente, e con il tocco di un morbido velo gli arriveranno fino al cuore. Neanche l'analisi più accurata potrà scorgere tracce di impurità in una simile delicatezza.

Ad esempio, a me piace tanto quando, nell'aria ancora fredda delle notti d'inverno, all'improvviso si sente il profumo della primavera. È pieno inverno, la notte è buia, e si sente arrivare dolce, mescolato al vento freddo, il ritmo deciso della primavera. Sono così felice che non riesco più a dormire.

Penso che poter provare questa sensazione ogni anno sia una delle grandi gioie che mi dà vivere in Giappone.

## La primavera all'estero

A inizio primavera di due anni fa, ho visitato la Danimarca. Anche se era inizio primavera, si era ancora in marzo, e per la prima volta nella vita ho provato così tanto freddo. Ma il freddo in Nord Europa è secco e deciso, e mi sono sentita come rigenerata.

Dalla finestra della casa dove ero ospitata vedevo una foresta e una prateria selvagge con un fiume che sembrava sul punto di congelarsi. Tutto ciò che i miei occhi riflettevano era grigio e bianco, e i rami nudi degli alberi si protendevano verso il cielo color cenere. Per me era uno spettacolo di freschezza e fascino fuori dal comune, ma la padrona di casa continuava a chiedermi perché ci fossi andata proprio in quella stagione, visto che di lì a poco sarebbe iniziato il periodo più bello. Mi diceva che alle tinte smorte della prateria si sarebbe presto sostituito il verde nuovo, e che tanti fiori di infiniti colori sarebbero sbocciati, dai bulbi sarebbero nate le gemme e un po' alla volta anche queste sarebbero fiorite. Sembrava davvero desolata, e si raccomandava che tornassi in primavera, quando la gente è allegra e il paese offre tutti i suoi scenari più incantevoli allo sguardo. Aveva l'espressione di chi vuol mostrare a qualcuno una cosa della cui bellezza va fiero, e allora ho provato a immaginare la scena che mi descriveva. L'istante in cui il paesaggio spoglio davanti ai miei occhi si ammantava all'improvviso di colori, e lo spettacolo dei bulbi che fiorivano nei vasi in vetro dai bei colori allineati sul davanzale. Tutto questo arriva un giorno di colpo, e abbaglia come un'esplosione, in modo selvaggio, con colori che gli occhi delle persone hanno dimenticato, le sorprende e risveglia i loro sensi alla bellezza di quelle tinte che l'inverno ha offuscato, alle leggi del mondo e alla generosità della natura.

Quella scena mi torna in mente ancora adesso, proprio come se l'avessi vista sul serio. Mi capita anche di pensare all'aggressività di quella primavera così diversa da quella giapponese, che invece avanza lentamente e con grazia. La cosa che mi ricordo ogni volta sono i bulbi che aspettavano la primavera in quei bellissimi vasi di vetro.


## Tulipani

A Tōkyō, quando arriva la primavera, le vetrine dei negozi si riempiono improvvisamente di ogni specie di tulipano. Con la corolla allungata, di colore viola brillante, le varietà sono moltissime. Ce ne sono persino alcuni che arrivano in aereo direttamente dall'Olanda.

Li compro di buonumore, torno a casa, li metto nel vaso e li sistemo sul tavolo.

Dopo qualche giorno il tulipano si apre, e al minimo soffio di vento, oppure se il mio cane muove il tavolo, i petali cadono.

È così che deve andare, mi dico.

L'anno scorso, non ricordo esattamente in che periodo, ho comprato dei bulbi di tulipano in una svendita, e li ho piantati in modo frettoloso, semplicemente raggruppandoli in un angolo del vaso. Ovviamente i fiori non sono sbocciati. Dalla terra sono solo spuntate timidamente delle sottili foglioline. Poi è arrivato l'inverno, e ci ho rinunciato.

E invece questa primavera, all'improvviso, uno di quei tulipani è sbocciato.

Era un tulipano normalissimo, di un rosso intenso, ma lo stelo spuntava grosso e di un bel colore vivace dal terriccio da cui succhiava il nutrimento.

Ogni mattina allo spuntare del sole la corolla si apriva, e di sera tornava a chiudersi. Per due settimane circa il fiore di tulipano si apriva alla luce del sole, senza perdere neanche un petalo. Non sapevo che in terra durassero così tanto.

Tutte le mattine mi alzavo e ammiravo quel colore meraviglioso, e la sera lo osservavo chiudersi. Percepivo la presenza di qualcosa di vivo. Mi rallegravo se il giorno successivo si apriva di nuovo, e quando ha iniziato a perdere colore mi sono persino sentita addolorata.

È stata un'esperienza emotivamente più profonda rispetto a quando compro tanti costosi tulipani dai bei colori. Fino a ora non avevo mai avvertito così intensamente la presenza di un fiore di tulipano. Mai avevo ricevuto insegnamenti tanto preziosi sui cicli delle stagioni e sull'importanza del tempo che passa. Non è una cosa che si può comprare, non ha peso né consistenza, ma chiama in causa la sensibilità delle persone. Questa primavera, un semplice fiore di tulipano, uno soltanto, mi ha regalato un'emozione unica. Per quanto tempo non mi sono accorta delle cose importanti che queste piante, con il loro splendido fiorire, mi stavano insegnando?

Ho la sensazione che nella società di oggi, cose come questa capitino troppo spesso.


## Lo sguardo del coniglio

Ho partecipato all'iniziativa *Arte a domicilio*, organizzata da una mia amica. C'è un personaggio immaginario, un "coniglio", e da questo coniglio arrivano diversi oggetti insieme a una lettera, alla quale si deve rispondere.

Mi è arrivato un piccolo coniglio di pezza fatto da lei insieme a un album di fotografie. All'interno era tempestato di immagini di paesaggi estivi, girasoli, nuvole, scene al chiaro di luna, e il racconto illustrato di come il coniglio si era perso durante l'estate. Nella lettera c'era scritto che aveva provato una grande felicità nell'istante in cui, una mattina dopo la fine dell'estate, aveva avvertito per la prima volta l'arrivo dell'autunno.

Al momento di scrivere la risposta ho riflettuto molto. Quell'estate a Tōkyō aveva fatto molto caldo, e io non avevo mai osservato il paesaggio intorno a me, ma nelle fotografie di Tōkyō vista attraverso gli occhi del "coniglio" era davvero una bella estate. Le nuvole si stagliavano alte nel cielo, i fiori sbocciavano vivaci, il sole illuminava intensamente l'asfalto. Fu con un po' di delusione che mi resi conto che c'erano state tutte quelle cose. Occupata com'ero a lamentarmi per il caldo, avevo lasciato finire l'estate e mi ero fatta sfuggire tanti paesaggi che potevo vedere solo in quella stagione, e che non sarebbero tornati mai più. In quel momento, attraverso lo sguardo del coniglio, ho scoperto la bellezza di quell'estate.

Le stagioni passano in un istante. E dopo non ritornano, per quanto noi ci voltiamo indietro. E così iniziamo a contemplare la bellezza della stagione appena arrivata... Questo succede quattro volte ogni anno, e la nostra sensibilità si affina. Penso che sia una fortuna. Noi giapponesi abbiamo un particolare senso della transitorietà, invece in culture come quella sudamericana la stessa cosa si manifesta in forme molto più violente.

È triste che le mutazioni climatiche poco alla volta stiano distruggendo la bellezza dei cicli delle stagioni. Saremo mai capaci di scoprire nuove forme di bellezza in questo mondo devastato?

## Presagi d'autunno

Sono nata d'estate, e amo questa stagione. Per questo, quando ero bambina, odiavo l'autunno. Quando ero al mare, percepivo molto prima l'arrivo dell'autunno rispetto a quando mi trovavo in città. Un giorno, all'improvviso, il mare diventa grosso e scuro, il cielo si fa un po' più lontano e limpido, le nuvole si assottigliano, nel caldo si nasconde una brezza leggera, cominciano a volare le libellule... a partire da quel giorno, l'autunno invade silenziosamente anche la città. Non appena capivo che l'autunno stava arrivando, sentivo il cuore pieno di tristezza al pensiero che quell'estate in cui mi ero tanto divertita non sarebbe mai più ritornata.

Ma una volta diventata adulta, ho imparato a cogliere la bellezza nascosta in quell'istante. Solo in autunno il crepuscolo ha il colore limpido dell'oro. Adesso mi piace srotolare le maniche della maglia leggera comprata durante l'estate, cambiare i sandali con le scarpe e uscire per osservare l'autunno che avanza. Mentre cammino senza una meta guardando la luce e gli alberi ingialliti ai bordi delle strade, ho come l'impressione che la stanchezza accumulata nella frenesia della bella stagione si dissolva. Anche il cuore si posa, e tutto mi sembra intimo e dolce. Soltanto le lunghe piogge autunnali ancora non riescono a piacermi, ma quando vedo le sfumature delle foglie cadute sul marciapiede bagnato dalla pioggia, quando sento quel profumo umido è gradevole.

Infine sarà banale, ma devo dire una cosa sul cibo. È un'invenzione di mia sorella. Se si riscaldano con il burro tante varietà di funghi diverse, li si mescola con il riso appena cotto e si aggiunge tanto prezzemolo tritato, ne viene fuori una leccornia. È all'occidentale, ma non troppo pesante, il sapore dei funghi si sente a sufficienza, e in più c'è l'amaro del prezzemolo. Se ne può mangiare una ciotola dopo l'altra, ed è pericolosissimo per la linea! Però anche questo, economico e semplice, è uno dei miei piaceri tutti autunnali.

## Ricordi di un ginkgo

Nel quartiere in cui sono cresciuta c'è una lunga strada costeggiata da alberi di ginkgo. Quando ero bambina, mi piaceva attraversarla d'autunno. Correre in mezzo a quelle foglie color oro che cadevano una dopo l'altra era per me un'emozione magica. Anche la forma delle foglie di ginkgo mi piaceva. Quando danzano nell'aria, sono belle. Cadevano le une sulle altre fino a coprire l'asfalto, emettevano un rumore secco se le calpestavo, ma a guardarle in lontananza apparivano morbide. Erano come una soffice nuvola dorata. A ripensarci adesso che sono cresciuta, avverto ancora quella sensazione di sogno.

E poi ci sono le noci di ginkgo! Da piccola andavo sempre a raccoglierle. Le mani prendevano un cattivo odore, ma il colore tra il giallo e il verde che veniva fuori una volta che le si erano cotte e sgusciate era stupendo. Anche il sapore, che sembrava quello di un frutto a cui si è aggiunta una noce, era particolare.

Subito dopo essere diventata scrittrice, ho affittato un piccolo studio. Gli abitanti del condominio erano tutte persone che vivevano da sole. Un giorno di autunno, il piano dove si trovava il mio appartamento fu come avvolto da un cattivo odore. L'elettricista che era venuto a riparare il condizionatore, con un'espressione seria in volto, mi disse: "Che odore forte! Non sarà mica morto qualcuno?". E poi scappò via dicendo che aveva paura. In preda al terrore, andai ad avvisare il padrone di casa. Insieme andammo in ispezione, e localizzammo un appartamento. Il padrone di casa provò a chiamare al telefono, ma non rispondeva nessuno. Tra noi c'era un silenzio inquietante... Con un'espressione preoccupata in volto, disse che avrebbe tentato di raggiungere la famiglia dell'inquilino dell'appartamento, e così rientrò in casa sua. Dopo una decina di minuti, ritornò sorridente: "È dai suoi. Dice che aveva raccolto molte noci di ginkgo, ma al momento di partire le ha dimenticate a casa". La cosa mi tranquillizzò, ma allo stesso tempo ero sbigottita, perché sapevo bene, per esperienza, quante noci di ginkgo ci volessero per produrre quell'odore. Con una punta di nostalgia, pensai che era una cosa che poteva succedere solo in un quartiere pieno zeppo di alberi di ginkgo, esattamente come il nostro.

## Castagne

Qualche tempo fa, dovendomi incontrare con un amico straniero, mi è venuta l'idea di regalargli dei dolci tipici giapponesi. In auto con il mio ragazzo, mentre andavamo sul luogo dell'appuntamento, tenevamo gli occhi aperti in cerca di una pasticceria.

"Ah! Ecco una pasticceria!"

Così dicendo, il mio ragazzo fermò la macchina. Effettivamente c'era una pasticceria che aveva tutta l'aria di essere in attività da molti anni. Scesi solo io dall'auto ed entrai nel negozio. Mi resi conto di essere nel posto sbagliato quando, all'interno, vidi in sequenza una vecchina che arrostiva i *senbei*, un televisore acceso, una vetrina polverosa e, allineati al suo interno, dei *manjū* che sembravano vecchi di cent'anni.

Come dire... ogni cosa che vedevo lasciava intendere che i loro dolci non fossero buoni. Ma la vecchietta aveva interrotto quello che stava facendo e mi era venuta incontro, per cui, controvoglia, comprai alcuni *senbei*. Non avrei mai potuto regalarli al mio amico perché se li portasse come ricordo. Decidemmo che quelli li avremmo mangiati noi, e ci mettemmo di nuovo in viaggio alla ricerca di una pasticceria per comprare degli *yōkan* confezionati in modo che potessero conservarsi a lungo.

In macchina, però, pensammo che se non li avessimo mangiati subito si sarebbero rovinati ulteriormente. Aperta la busta, trovai dei *senbei* a forma di castagna di un colore marrone scuro. L'aspetto era carino, con la parte superiore appuntita. Quando lo appoggiai sul palmo della mano si sentì un leggero profumo di castagna che mi fece tornare in mente tutte quelle che avevo visto fino ad allora. I ricci a terra nelle foreste d'autunno che sembrano istrici, il profumo dolce che si leva dai banchetti delle caldarroste all'uscita delle stazioni, il colore incantevole del *mont blanc...* eccetera eccetera. Le belle mani della mia amica che sgusciava le castagne mentre diceva che le si possono mangiare anche se non si ha fame. Per un attimo ebbi l'impressione che i segni dell'autunno mi passassero davanti insieme a quel marrone denso, e anche se i *senbei* non erano più buoni, mi rimase un senso di felicità.

## La montagna innevata

Qualche tempo fa ho fatto un'escursione sul Monte Kurama, a Kyōto, nel bel mezzo di un'abbondante nevicata.

Non so neanche io perché l'ho fatta, semplicemente il paesaggio innevato era così bello che mi è venuta voglia di vederlo ancora più da vicino. Sul Monte Kurama c'è una funivia con la quale si può salire fino a una certa altezza.

Scesa dalla funivia, sono arrivata all'edificio principale del tempio attraverso degli scalini di pietra che la neve aveva reso scivolosi. Il paesaggio della montagna immersa nella foschia sembrava un miraggio, e si vedeva anche da lì, ma volevo avvicinarmi ancora un po', e piano piano sono arrivata a due passi dal padiglione più interno.

Nevicava e il suolo era fangoso, quindi ci abbiamo messo molto tempo.

Ciononostante, io e la mia amica Keiko ci siamo divertite. Era faticoso, ma poco a poco ci siamo riscaldate e abbiamo persino sudato. Sulla montagna innevata non c'era anima viva, la foresta sembrava inghiottire ogni suono e l'aria tersa odorava di fogliame. Tutto questo ci rendeva felici.

Non siamo riuscite ad arrivare al padiglione interno, che si dice essere sotto il controllo del diavolo, venuto da Venere sei milioni e cinquecentomila anni fa (questo è quello che è scritto nella guida... come lo si deve interpretare?), ma abbiamo camminato fino alla cappella dedicata ad Acalanâtha, che si trova lì davanti.

Penso che a sostenermi sia stato il pensiero che quella sarebbe stata la prima e ultima volta che scalavo una montagna sotto la neve. Se anche ci andassi d'inverno, non è detto che rivivrei quel preciso istante in cui tutto è avvolto da un manto bianco. "È l'unica volta"; quando mi ripetevo questa frase riuscivo ad andare avanti. Camminavo come rapita dalla bellezza.

Non dimenticherò mai il sapore del caffè e dei *mitarashi dango* che abbiamo comprato una volta ridiscese, né la sensazione del sole sulla pelle mentre guardavamo la montagna dalla vasca all'aperto delle terme di Kurama.

Dopo quell'esperienza eravamo così in salute che la sola spiegazione possibile era che avessimo assorbito l'energia della montagna. Non avevamo sonno, e anche se eravamo stanche la cosa non ci disturbava.

A un certo punto della scalata, in un luogo che, anche se non ci fosse stata tutta quella neve sarebbe stato comunque difficile da raggiungere, c'era una pietra che – si dice – Ushiwakamaru utilizzò per misurare la propria altezza quando lasciò la montagna.

Ovviamente si tratta solo di una leggenda.

Ma quella pietra era davvero piccola. Credo che non mi arrivasse neanche ai fianchi. Si racconta che Ushiwakamaru, che poi sarebbe diventato Yoshitsune, trascorse la sua infanzia sul Monte Kurama, impegnato nell'apprendimento dei fondamenti del buddhismo. Come sarà stato quel periodo per lui, alle prese con lo studio in quella montagna profonda e scura abitata da orsi e insetti? Quella pietra memoriale era posta in un punto che lui aveva trovato sul suo cammino mentre scendeva dalla montagna, ma che per me, che lo avevo raggiunto con grande fatica, era tremendamente in alto. A viverla sul proprio corpo la storia sembra più reale.

E i giapponesi che fino a oggi hanno continuato a venerare quella divinità importante (una presenza così fuori dal comune che non la riesco neanche a immaginare), scesa da Venere sei milioni e mezzo di anni fa, avevano dunque questa forza d'animo, in passato. È bello sapere che il mistero del mondo è stato da sempre al centro dell'interesse delle persone.

## Verde fitto

Tempo fa, un'amica mi ha portato alle terme di Sarubino. Erano lontanissime, ma quando, da un certo punto in poi, grandi magazzini, *convenience store*, catene di ristoranti e tutti quegli orribili posti sempre uguali che stanno devastando le periferie giapponesi hanno ceduto la scena a un mondo verde, silenzioso e luminoso, mi è sembrato di svegliarmi all'improvviso. Poiché ero stata seduta a lungo in macchina, sentivo dolori un po' dappertutto, e avevo iniziato a pentirmi di essere partita, ma in compenso ora mi trovavo di fronte a un paesaggio meraviglioso, e provavo un'emozione fortissima.

La stessa emozione che avevo provato in passato, quando ero andata a Kumano.

Il profilo della montagna era completamente ricoperto da un verde fitto, e le fronde come nuvole brillavano di mille sfumature diverse.

E in mezzo scorreva un fiume di acqua cristallina.

I cespugli di menta sulle sponde del fiume erano di un verde ancora differente.

Con l'azzurro del cielo come sfondo, quello spettacolo continuava all'infinito.

Favorite dall'acqua e dalla luce del sole, le persone si dedicano alle loro attività quotidiane. L'aria è sempre pregna del profumo delle foglie. Completamente immersi nel verde, gli uomini, minuscoli, camminano sulla terra e con umiltà ne ricevono i doni.

Era un paesaggio che faceva sentire chiaramente di trovarsi in mezzo alla natura del Giappone.

Il tramonto di Nara è diverso da tutti gli altri tramonti.

Non so se mi piace o no. Il tramonto di Nara fa un po' paura. Risveglia un sottile timore verso l'oscurità che normalmente è come in letargo nelle profondità del sangue di noi giapponesi.

Ma io ne sono attratta in maniera irresistibile.

Ho visitato tanti paesi, e ho visto tanti tramonti. Amo quei paesaggi aperti, con il sole che scende verso il mare a occidente.

Il Nilo era così. Anche se è un fiume, il Nilo è identico al mare. Un sole grandissimo cola a picco a occidente, la notte irrompe e in un istante si è nel mondo dell'oscurità.

La notte si apriva come se fosse un mondo a parte.

Invece il tramonto di Nara non è così.

Uniforme, arriva senza la minima esitazione e tinge il cielo di un rosa irreale.

E la notte inizia in silenzio, delicata come la neve. L'oscurità colora ogni cosa di un nero simile all'inchiostro, e intorno il verde intenso si spegne, fino al mattino successivo. È una notte forte, dalla quale non si può scappare.

Penso che questa forza spaventosa sia il vero mistero della natura giapponese.

Forse se costruiamo negozi sempre illuminati, grandi parchi e luci da tenere accese tutta la notte, è perché non vogliamo più provare quella paura. Ma affrontando di tanto in tanto le tenebre reali ci liberiamo da quelle che portiamo dentro. Non dicevano questo, i nostri antenati?

Ho comprato una pianta Pachira quando era ancora piccola, e ho deciso di metterla accanto al letto, nella parte di casa più esposta al sole. Poi le ho chiesto: "Qui non ci sono tende e quando la mattina mi alzo il sole è sempre abbagliante: della parte inferiore non m'importa, ma almeno puoi far spuntare le foglie nella parte superiore?" ed effettivamente è venuta su come dicevo. Con le sue grandi foglie faceva in modo che la luce del sole non mi arrivasse sul viso.

Da un po' di tempo, a casa c'è un nuovo gatto. Al negozio di animali non sono riusciti a venderlo, è un gatto un po' strano, ma molto tranquillo.

Il gatto che c'era prima si è fatto prendere da attacchi di panico, e lo aggredisce inseguendolo e soffiando minaccioso. Questa cosa va avanti per tutta la notte, il nuovo venuto è completamente paralizzato, e per me che sto a guardare è uno spettacolo penoso.

Ho preso sulle ginocchia il gatto che c'era da prima e ho cercato di convincerlo parlandoci a quattr'occhi.

"Non ha un altro posto dove andare. In più è stato per oltre sei mesi in una gabbia del negozio di animali senza potersi muovere né mangiare cose buone. Quindi non devi trattarlo male. Anche tu quando sei venuto in questa casa hai sofferto perché il cane non ti voleva, no!? Per questo adesso devi essere gentile con lui, che è appena arrivato e non conosce ancora le regole."

E così, a partire da quel momento, ha smesso di maltrattare il nuovo gatto, e si è sforzato di andarci d'accordo. È una storia vera.

Essendo stato a lungo in gabbia, il nuovo gatto era assolutamente negato per saltare giù dall'alto e per la corsa.

Però dopo un po' di tempo ha imparato a correre a destra

e a sinistra, e una volta stava giocando insieme all'altro e facevano una gran confusione quando, maldestro com'è, ha finito per rovesciare il vaso della pianta di Cystiphemma che avevo coltivato con tanta cura e che finalmente aveva messo le gemme. Quando l'ha rovesciata per la seconda volta, sebbene pensassi che fosse tutto inutile, perché era solo un cucciolo, ho provato a parlargli.

"Credimi, capisco che tu voglia giocare, però questa pianta è un regalo prezioso arrivato da Izu, e siccome all'inizio non riusciva ad ambientarsi ha sofferto. Quindi, per favore, non salirci sopra, va bene?"

E poi non so cosa sia successo, ma da quella volta il vaso è stato lasciato in pace.

Forse sono gli uomini quelli che si capiscono di meno tra loro. Mi capita di pensare persino questo.


## Uomini, fiori e animali

Poco tempo fa sono stata a casa di un conoscente, e in salotto c'era un ibisco con le sue belle foglie in mezzo alla luce fioca dell'inverno.

Nonostante non fosse ancora stagione, la pianta era inaspettatamente piena di fiori rossi. Guardai da vicino, e mi resi conto che erano finti.

"Visto che non fioriva per niente, ho pensato di farle vedere dei fiori, così ho comprato quelli finti e glieli ho attaccati. Poi, la scorsa estate, ogni giorno le dicevo che è così che si fiorisce, e davo un bacio alle foglie. Poi è fiorita davvero, così tanti fiori da non crederci!" mi disse ridendo la mia conoscente, una donna sulla settantina.

La sua tenerezza mi incantò. Sicuramente l'ibisco ha risposto a quella generosità d'animo, si è sentito al sicuro e, per la felicità, è fiorito.

A proposito di cure amorevoli, se ci facciamo caso è sorprendente con quale immediatezza si capisca come stanno i cani portati a spasso al guinzaglio, i gatti più o meno randagi sui muretti vicino alle case, e ovviamente anche le piante. Si percepisce subito se ricevono amore o no, se sono felici o infelici. Dirò di più: anche per i bambini è così.

Una mamma e il suo bambino stanno camminando per strada. Se osserviamo con attenzione, possiamo capire come si sente il bambino. Se si comincia a chiacchierare, gli adulti – e anche i bambini – mettono su una maschera sorridente e socievole. Per questo, se si vuole conoscere la verità, si deve evitare di parlare.

Secondo me, è l'impressione iniziale quella che conta.

Vivian, la barboncina che vive nella casa di fronte alla mia, è molto amata, e ogni volta che la vedo ha sempre gli occhi, il pelo e tutto il corpo in perfetta forma, sfavillanti.

All'ora in cui il nipotino torna da scuola, Vivian si lancia fuori sul pianerottolo e gli va incontro. Dalla scuola vicina, il nipotino arriva camminando lungo una strada in salita.

Se capita che, incontrando prima di lei il nipotino, mi fermi a parlare con lui, Vivian per proteggerlo abbaia e cerca di spaventarmi. Allora le dico: "Scusa, scusa, Vivian, non voglio fargli niente di male", e lei mi guarda perplessa, in silenzio, ma si capisce che è ancora scossa.

Vivian è così piccola, eppure sa proteggere il nipotino, che ha appena iniziato le elementari. Sicuramente quel bambino accumulerà tanti ricordi dolci come questo.

Per far uscire il mio cane, ogni giorno passeggio per il quartiere. Ci sono case con tanti fiori colorati, eppure quando ci passo davanti avverto una sensazione desolante, viceversa ce ne sono alcune senza neanche una pianta, ma che per qualche ragione mi mettono allegria. Poi magari mi capita di sentire delle chiacchiere delle persone del quartiere, e allora capisco il motivo delle mie reazioni. Ogni giorno offre un'occasione per imparare qualcosa.

In particolare c'è una casa alla quale i cani non si avvicinano mai, e non ne so il motivo. Non è che in quella casa ci sia un cane, né ha un aspetto inquietante. Eppure deve esserci qualcosa. Forse è la casa di qualcuno che detesta i cani, o di una persona pericolosa... Gli esseri umani si vantano di essere quelli che accudiscono i cani, ma penso proprio che sul piano dell'istinto nessuno li possa battere.

## Bellezza

Una sera sono andata in un centro commerciale di lusso. Invogliata dalla varietà delle merci esposte, alla fine ho fatto più acquisti del necessario e, con una grande busta tra le braccia, sono andata dal fioraio.

C'era un solo commesso, e una signora di mezza età che veniva prima di me gli stava domandando una cosa veramente complicata. Voleva che le facessero una composizione da regalare con le Phalaenopsis più costose che c'erano, e in più chiedeva di spedire in un altro posto dei fiori da cerimonia molto pregiati, anche quelli confezionati per l'occasione. Ogni parte del suo corpo emanava una luce che diceva "gente ricca", e un'altra che diceva "la precedenza alla gente ricca".

Nel tentativo di far notare che dovevo pagare solo poche cose, ho aspettato per un po' con in mano un mazzo di tulipani da duemila yen e un piccolo vaso di orchidee da mettere in bagno, sperando che qualcuno mi facesse passare avanti, ma già la persona prima di me, con la stessa strategia, era stata accontentata, e ora il commesso aveva fatto capire che non poteva servire nessun altro, e si era messo a confezionare le Phalaenopsis.

Alla fine ho aspettato venti minuti. Sentivo che le persone dietro di me arrivavano e poi se ne andavano via quando capivano che ci sarebbe voluto del tempo. Non potevo allontanarmi, o avrei perso il mio posto nella fila, né potevo andare a cercare un altro commesso. Non è che non mi piaccia aspettare, ma in quel momento era come se tutti stessero aspettando che me ne andassi per ritornare un'altra volta, e questo mi innervosiva. Se la persona che aveva chiesto quella cosa così elaborata si fosse almeno scusata per il fatto che stava impiegando tanto, mi sarei calmata, ma nonostante fosse a una distanza tale da sfiorarmi le spalle, non mi guardò neanche una volta. Per una persona come me, cresciuta in un quartiere popolare, era una situazione inconcepibile.

In quel momento, arrivò una donna bellissima. Se dovessi dire a chi somigliava, direi a Shino Hiroko.* Era una signora sulla cinquantina molto elegante, arrivò leggera come il vento, prese in mano un mazzo di dieci tulipani da duemila yen e iniziò a guardare nel negozio con l'aria di chi spera che la facciano passare avanti. Mi sentii a disagio, e le dissi: "A dire il vero sto aspettando qui già da un po', ma sembra che ci vorrà ancora tempo...". Così facendo ero riuscita a non perdere il posto nella fila, ma mi resi conto che rischiavo di esagerare con quell'atteggiamento di freddezza, e allora mi sforzai di essere socievole. La donna si allontanò dicendo che andava a chiamare qualcuno, ritornò con un altro commesso, mi diede la precedenza e poi, sorridendo disse: "Meno male che ho provato a cercare qualcuno".

Penso che ci siano due categorie distinte di persone ricche. Ci sono quelle che, grazie alla tranquillità che deriva loro dal denaro, tirano fuori la parte migliore della propria personalità, e quelle che fanno l'opposto. In quel momento io, che ero ancora giovane, mi trovavo proprio in mezzo ai due tipi di persona. Il sorriso di quella donna era davvero bello,

* Attrice di film per il cinema e soprattutto di serie televisive, è stata attiva tra l'inizio degli anni settanta e la fine dei novanta. Tra il 1968 e il 1975 ha inoltre inciso alcuni dischi, abbandonando in seguito l'attività di cantante per dedicarsi esclusivamente alla recitazione. [N.d.T.]

ed è proprio a quella bellezza che tutte aspiriamo quando investiamo su noi stesse, o quando cerchiamo di sposare un buon partito, ma poi in fondo, in momenti come questo, non è il denaro ma la vera essenza di quella persona a emergere, e può cambiare la qualità della nostra vita!... Io non ero né ricca né bella, ma pensando queste cose mi emozionai. Ancora adesso, ogni volta che vedo quel vaso di orchidee, mi torna alla mente quel dolce sorriso come un ricordo meraviglioso.


## Affezionarsi

Mia sorella ha un paio di sandali da spiaggia di un colore blu sbiadito, che porta da più di dieci anni. Con il tempo hanno preso la forma del suo piede.

In realtà non è perché le piacessero in modo particolare che li ha comprati e li conserva con tanta cura. Semplicemente li ha tenuti per tanto tempo perché non si sono mai rotti, e non ha dovuto buttarli. Li indossa una volta l'anno per andare al mare, e per il resto sono sempre a casa.

Un bel pomeriggio di qualche anno fa, siamo andate fino al porto in costume da bagno per salutare alcune persone che partivano in traghetto. La gente scompariva agitando la mano, la nave si allontanava e svaniva, e noi due siamo rimaste accovacciate sul molo a guardare i pesci. In un momento di distrazione, uno dei sandali è caduto in acqua.

Il fedele sandalo era in balia delle onde.

"Aaah!" abbiamo esclamato io e mia sorella, all'unisono.

"Li ho portati per tanti anni, magari era anche ora che me ne separassi, però ormai avevano preso la forma del mio piede, ed erano così comodi che sembrava quasi di non averli."

Detto ciò, mia sorella si fermò un attimo a pensare.

"Vado a prenderlo!"

E si tuffò con un tonfo, raggiunse a nuoto il sandalo, lo

prese e risalì arrampicandosi a quattro zampe. "Cos'è, un cane?" mi chiesi sbalordita, ma in fondo la capivo.

Io e la mia amica Yōko ci conosciamo ormai da più di quindici anni. In passato siamo andate insieme in India e alla Benetton (la Benetton indiana...) abbiamo comprato delle t-shirt da usare come pigiama. La mia si è rovinata e l'ho buttata via già da un bel po', mentre Yōko, che nel frattempo ha vissuto a Parigi e non l'ha messa quanto me, in occasione di un recente viaggio ad Amami, indossava proprio quella per andare al mare.

"Che nostalgia! È incredibile!" dissi io.

"Infatti. Siccome ormai è vecchia, ho pensato di usarla quest'ultima volta e poi salutarla per sempre" rispose Yōko.

"Davvero? Be', ormai sono quindici anni..."

L'ultimo giorno, quando Yōko ha ritirato la t-shirt che era stesa ad asciugare sulla ringhiera della scala a chiocciola, le ho detto: "Che tristezza però, dai, mettila ancora!".

"È vero, adesso che devo buttarla mi sento triste" rispose Yōko.

Giorgio, un nostro amico più grande che era vicino a noi e aveva sentito la nostra conversazione, disse:

"È vero, non devi buttare le cose a cui tieni. Mano a mano che gli anni passano, gli oggetti che evocano ricordi diventano sempre più importanti".

Quel sorriso e il tono della sua voce mi sono rimasti nel cuore.

Rabuko, la mia golden retriever di dodici anni, è morta.

Quando ancora stava bene, ogni volta che in un negozio di animali vedevo dei cuccioli mi dicevo: "Uh, che nostalgia. Quel pelo morbido. Vorrei un cucciolo!".

Mi vergogno di quei pensieri.

Morta Rabuko, ero così triste che cedetti alla tentazione di prendere un cucciolo. Ma non sentivo affatto che mi faceva bene. Aveva il pelo liscio, la pancia rosa, i denti come perle, gli occhietti vispi senza il problema della cataratta... eppure non ero felice. Era troppo "nuovo". Quello sguardo ignaro del mondo, se lo paragonavo alla profondità di Rabuko, mi faceva vedere quel cucciolo come se non avesse sentimenti: una specie di insetto.

Mi mancava quel pelo vecchio, maleodorante, rovinato. Ci avrei affondato il viso. Solo quello desideravo. Ma Rabuko era morta, e il suo corpo sarebbe diventato sempre più rigido, e i suoi peli sempre più freddi. Probabilmente è stato così che mi sono convinta che non sarebbe mai più ritornata.

In seguito, il cucciolo si ridusse in fin di vita a causa di una malattia ereditata dalla madre. Mi prendevo cura di lui tutti i giorni, lo portavo dal veterinario, lo disinfettavo, lo asciugavo, lo controllavo, lo tenevo in braccio. Mano a mano che ripetevo quelle azioni, cominciai a capire tutto, e iniziai a volergli bene. I suoi peli corti mi piacevano moltissimo, così come la sua fronte quadrata.

Pensai che è così che le persone si affezionano. Ci si può affezionare a qualcosa con la stessa rapidità con cui si dimentica. Bisogna vivere il presente dandogli importanza, esattamente come la si dà ai ricordi.

Vicino a casa mia, c'è un vecchio *kissaten* che non ha nulla di speciale.

Quando li prepara la proprietaria, sia il tè verde che quello alle alghe sono deliziosi. Deve essere perché segue sempre lo stesso procedimento. Le teiere e le tazze sono molto pregiate, ma in qualche punto sono scheggiate. Anche il momento di scegliere i dolcetti da accompagnare al tè, sebbene non siano che semplici *senbei* o *manjū*, è piacevole. Se entra una donna incinta, la proprietaria le chiede quando partorirà, e se arriva un anziano che parla da solo, lei gli dà il benvenuto come se niente fosse. Se qualcuno rompe una teiera, la prima cosa di cui si preoccupa è che non si sia fatto male, e ogni volta che porto il mio bambino lei lo accoglie con un sorriso.

In quel *kissaten* c'era un enorme pesce rossiccio. All'inizio pensavo che doveva essere per forza una carpa, ma quando ho saputo che si trattava di un pesce rosso sono rimasta di stucco.

Poco tempo fa Gin, il pesce rosso, è morto di vecchiaia. Pare che avesse quindici anni.

"È solo un pesce rosso, ma ho pianto per due giorni" mi ha detto la proprietaria. Non era il caso di dirglielo proprio quando era così triste, ma a me Gin, che era vissuto così a lungo, era sempre sembrato felice. Forse Gin si era affezionato alla proprietaria del *kissaten* e ha continuato a vivere dimenticandosi del tempo che passava. I fiori in suo ricordo venivano sempre cambiati prima che appassissero, e in seguito sono state appese delle fotografie di Gin.

Ogni volta che vedo quelle fotografie mi dico che nella vita non c'è da avere fretta.

### Le piante

Derek Jarman si è preso cura di uno splendido giardino fino a poco prima di morire di Aids, e questa cosa è rimasta nel cuore di tanta gente. Sono molti quelli che, ancora oggi, visitano quel giardino.

Qualche tempo fa ho scritto dei romanzi su questo argomento.

Sono romanzi che parlano dei giardini come opere d'arte.

Vivo in una casa in affitto, e il contratto prevede che una volta l'anno un giardiniere scelto dal proprietario venga a potare le piante.

Ho aspettato quel giorno in preda a mille ansie. In giardino tengo molte piante strane, e ho fatto anche crescere apposta il *dokudami*, per cui ero preoccupata che non strappasse via tutto. Inoltre dovevo fare in modo che non usasse diserbanti, visto che la mia tartaruga mangia l'erba del giardino.

Ma il giardiniere era proprio un professionista.

Al mattino, quando mi sono alzata, aveva già fatto metà del lavoro.

"Non userò diserbanti, mentre per quanto riguarda le piante a terra, ci sono solo delle rose in due posti, e non le toccherò. Vuole che lasci il *dokudami*?"

Aveva già capito tutto del giardino. Mi stupì moltissimo.

Diversamente da me, che le compravo e le lasciavo seccare così come capitava, lui aveva fatto il punto sullo stato delle piante ragionando in maniera metodica.

Sicuramente aveva anche già pensato cosa piantare e dove.

In tutte le cose, c'è un livello superiore a quello del semplice passatempo, ed è quello del metodo.

Il giardiniere ha trovato un nido di vespe, la mattina successiva è venuto e senza perdere tempo lo ha tolto. Poi ha potato accuratamente quella parte, così che non potessero più costruirne, e ha sorriso in modo rassicurante.

Spazzate via in un colpo solo tutte le mie preoccupazioni iniziali, mi dissi che da allora in avanti gli avrei fatto domande e chiesto consigli sul giardino.

Da quando mi ero trasferita in quella casa, ero sorpresa del fatto che i fiori fossero sempre in pieno rigoglio. In inverno, subito dopo il susino, fiorivano due qualità di camelia, in primavera i fiori di ciliegio, nella stagione delle piogge le gardenie, in estate le altee, e in autunno tutte le foglie si tingevano di rosso. Mi sembrava incredibile che un giardino così modesto fosse tanto curato. Io sono una pessima inquilina, e riesco a malapena a innaffiare di tanto in tanto, eppure, rispetto a quando sono venuta a vedere l'appartamento vuoto, gli alberi adesso mi sembravano ancora più in salute. Dipenderà dal fatto che ora ci sono io, pensai. Il giardino, come la casa, prende vita nel momento in cui c'è qualcuno al suo interno che fa circolare l'aria. Ci si guarda a vicenda, e piano

piano ci si innamora l'uno dell'altro: è lo stesso sistema che sta alla base dei rapporti tra le persone.

Una cosa che mi ha sorpreso ancora di più, è la quantità di energia che le numerose coppie di pensionati del quartiere riversano nella cura dei loro giardini. Iniziano già intorno alle otto del mattino. Ci sono fiori ovunque, e nelle fioriere sta sempre crescendo qualcosa in vista della stagione successiva.

Non hanno un motivo preciso per farlo, semplicemente si percepisce tutto il loro amore e il loro entusiasmo, e in fondo niente più di questo dà significato alla vita.

Le piante mi hanno fatto scoprire tante piccole meraviglie. In verità capita più spesso che resti delusa di me stessa, incapace come sono di prendermene cura nel modo adeguato, piuttosto che delle piante che sono lì nonostante tutto.

La protagonista di *Ōkoku* (*Il regno*), di cui parlavo prima, si chiama Shizuku Ishi, che è un nome preso da una pianta grassa. Al momento di preparare i poster pubblicitari per le librerie, la casa editrice ha comprato la pianta, l'ha fotografata e poi me l'ha mandata.

Quella pianta piena d'acqua, gommosa, ha vissuto per diversi anni ed è anche fiorita. I suoi fiori erano piccoli, molto carini.

In seguito è marcita perché, per errore, le ho dato troppa acqua, e mi è dispiaciuto molto. Ho fatto tutto quello che potevo per recuperarla, ma ormai era troppo tardi, ed è morta.

Ma la cosa incredibile è stata che le sue foglie hanno finito di seccarsi proprio la sera in cui ho ultimato l'ultimo capitolo del secondo volume di *Ōkoku*.

Ho avuto come la sensazione che mi stesse aspettando, e mi sono scusata con lei.

Perdere qualcosa che abbiamo tenuto in casa per molto tempo, fosse anche una piccola pianta in vaso, è sempre triste.

In un negozio di fiori di Jiyūgaoka c'è stata una fiera delle piante grasse. Ho pensato che poteva esserci lo stesso tipo di Hawtornia e così, un pomeriggio, sono andata a comprarla.

Avevo lasciato il bambino a un'amica perché se ne prendesse cura mentre ero via, e una volta lì vidi un vaso con dei fiori di curcuma di una specie molto rara.

Erano uguali a quelli raffigurati in un quadro di Chō Shinta che si trovava a casa della mia amica.

Pensai che il fatto che proprio mentre la mia amica era a casa con il mio bambino io avessi visto per caso e per la prima volta in vita mia un esemplare di pianta che lei amava, fosse in qualche maniera voluto dal destino. Decisi quindi di regalargliela, e la comprai.

Poi uscii fuori con i due vasi ben confezionati, tenendoli con cura.

Penso che per ognuno di noi esistano luoghi in cui succedono cose importanti, e nel mio caso quel posto è stato una normale strada secondaria di Jiyūgaoka.

In passato ho trovato lì un gattino, me lo sono portato a casa e vive ancora con me.

Quella volta, ricordo che provavo una strana inquietudine perché sentivo che voltato l'angolo ci sarebbe stato un gattino. In quel momento, camminando, ricordavo quell'episodio, quando c'è stata una forte scossa di terremoto.

La strada ha tremato in modo violento, e gli steccati hanno scricchiolato.

Io mi sono un po' spaventata, e la persona che avevo davanti ha detto: "È stato forte, eh!?" però mi ha solo squadrato, con uno sguardo freddo. Poi, con un'espressione indifferente, si è avviata a piedi verso la stazione.

Mi chiedevo se avesse o no paura. Quella donna mi dava l'impressione di una che si sarebbe lamentata a non finire se, giunta alla stazione, avesse trovato i treni fermi. Era una di quelle persone che hanno scolpita sul viso tutta l'insoddisfazione che si portano dentro.

Non c'era nessun altro intorno, però avevo la sensazione di non essere sola. Nel momento stesso in cui ho pensato che, essendo sola, mi sarei dovuta spaventare molto di più, mi sono resa conto che avevo con me le piante. La Shizuku ishi e la curcuma erano lì, strette tra le mie braccia, vive. Non c'entravano niente con il terremoto, non le avrebbe nemmeno uccise, eppure mi facevano sentire sicura. O perlomeno davano più calore della persona di prima.

Arrivata in una strada più affollata, vidi diverse persone sconosciute che commentavano e a vicenda si assicuravano di stare bene. Ero riuscita a contattare gli amici che non erano in casa, e dagli altri avevo ricevuto dei messaggi.

Ma continuavo a sentire nel cuore il tepore vivo di chi mi era stato accanto poco prima.

Forse era solo una mia fantasia. Forse le piante non hanno sentimenti. Però il fatto che con me ci fossero degli esseri viventi era reale.

Poi mi dissi:

"Se anche fossi morta in questo terremoto, in un momento in cui ero fuori casa, lontano da mio marito e dal mio bambino, non è detto che sarei morta sola. Tante delle nostre paure sono solo un frutto dell'immaginazione. Basta una piccola cosa per far stare bene gli esseri umani. Forse anche in mezzo alle storie tragiche che vediamo al telegiornale c'è qualcosa del genere, e d'altro canto solo quelle persone possono sapere cosa c'è nel loro animo".

I ricordi delle piante rendono la vita profonda.

Nell'albergo in cui vado sempre d'estate c'è un grosso albero di ibisco con dei fiori rossi intorno a cui si raggruppano le formiche. Ogni volta che vedo un ibisco, mi torna in mente il verde delle foglie appena innaffiate all'ingresso di quell'albergo.

Quando mi capita di vedere il bel frutto rotondo dell'iperico, mi ricordo delle notti insonni in cui bevo il tè preparato con le sue foglie (ha un effetto rilassante), e provo una sensazione di pace. La prima volta che ho visto un vero iperico ho pensato: "Ma allora sei tu!". In Giappone ha il nome infelice di "erba pugnala-fratelli" perché pare che secondo una leggenda qualcuno avrebbe ucciso il proprio fratello per il segreto di un medicinale a base di iperico. Evidentemente in ogni cultura quelle foglie piccole e profumate sono state usate per i loro poteri curativi.

Al Parco Shaboten di Izu, ho visto vicino alla cassa un cactus meraviglioso, e ho deciso di comprarlo. Mentre me lo confezionava, la signora diceva che era triste all'idea di doversene separare dopo tanto tempo che lo aveva avuto vicino a sé. Quel cactus è ancora a casa mia, e sta bene, ma non appena si secca un po' mi torna in mente quella signora e faccio di tutto perché si riprenda.

Penso che ogni contatto con forme di vita diverse da noi aggiunga un buon sapore all'esistenza.

### Il suo sapore

Una delle ragazze che ha lavorato come segretaria nel mio studio, Hiroko, adesso vive in Italia. Poco tempo fa è venuta in Giappone, e dato che avevo anche altri impegni dalle sue parti sono andata a trovarla e sono rimasta da lei per la notte.

Quando era la mia segretaria, il mio lavoro e la vita privata erano ancora più disordinati di ora, e ogni giorno mangiavamo la pasta che lei preparava. È successo persino che restassimo a lavorare fino a quando lo stomaco si metteva a brontolare, e che ne mangiassimo cinquecento grammi in due. Se ero raffreddata mi preparava del *kayu* con scaglie di pesce e prugne, e se eravamo così impegnate da non poterci fermare neanche un momento, cucinava qualcosa in pochi istanti, ma tutto era sempre ottimo.

La sera in cui mi sono fermata da lei, mi ha chiesto cosa volevo mangiare e io ho fatto la mia richiesta in preda alla nostalgia più acuta: volevo a ogni costo mangiare la sua pasta.

La particolarità della sua cucina è che il condimento è uniforme e non si ha l'impressione di mangiare qualcosa di elaborato. Non è né insipida né salata. Il sapore è sempre perfettamente riconoscibile, proprio come al ristorante. Ha un talento straordinario. Come farà a preparare tutte queste cose da mangiare in così poco tempo? Me lo sono sempre chiesto, e intanto affinava sempre di più la sua tecnica, e diventava così veloce da far pensare quasi che avesse poteri magici.

Dalla cucina uscirono delle linguine insaporite al basilico con un sugo di pomodoro e pancetta (il bacon italiano). Poi patate appena fritte e una grande porzione di insalata. Era riuscita a preparare tutto questo in soli venti minuti e in una cucina tutt'altro che spaziosa.

La pasta aveva esattamente il sapore di quella italiana, ma allo stesso tempo il gusto inconfondibile di Hiroko. Tra nostalgia e golosità, l'ho divorata in un momento.

Mi è venuto in mente anche che una volta, nonostante fosse molto depressa e sul punto di scoppiare a piangere, a ora di cena si alzò decisa e in un attimo preparò *kamo-namban* per cinque persone. In quell'occasione pensai che poteva trattarsi solo di talento.

Per inciso, sono il tipo che quando il numero di persone aumenta non capisce più nulla e resta impalata senza riuscire a preparare niente. So cucinare solo piatti i cui ingredienti si usano così come sono, e nascondo la mia goffaggine con condimenti costosi. Il sapore è sempre pericolosamente in bilico... è un po' come un romanzo, dove il numero degli ospiti corrisponde alla lunghezza del testo.

Per questo motivo ho sempre ammirato Hiroko, che con la decisione di una Hirano Remi,* è capace di cucinare in pochi minuti grandi quantità di cibo e di servirlo in modo splendido.

Sicuramente la loro vita è meno complicata della mia, e per quanto possa essere sottoposta a scossoni più o meno violenti, è sempre dotata di prontezza di spirito, di senso del tempo e di positività.

C'è un altro sapore che non posso dimenticare.

Shino, la figlia del mio principale quando lavoravo part-time, ha una manualità straordinaria, più di chiunque altro abbia incontrato nei miei quarant'anni di vita. Lava in quattro e quattr'otto un gran numero di piatti con un tocco così lieve che sembra accarezzarli, e quanto all'infilare il filo nell'ago e cucire qualcosa, le riesce a occhi chiusi. Anche quando si tratta soltanto di fare il nodo al grembiule, gesto che le ho visto fare moltissime volte, i movimenti delle sue mani sono estremamente aggraziati.

Un giorno, ci ritrovammo tra colleghi a mangiare insieme *okonomiyaki*, che cucinavamo a tentativi, dicendoci davanti alla piastra cose del tipo "andrà così?", "ma non avremmo dovuto già girarlo?" o "all'inizio si mescola o no?".

"Non vi posso guardare!"

Era stata Shino a parlare. Come per magia arrostì la carne, mescolò farina, cavolo e uova, li versò sulla piastra con un solo gesto e formò un bel tondo. Nel momento esatto in cui una parte fu cotta lo girò dall'altra, ci versò sopra la salsa, aggiunse le scaglie di pesce essiccato e le alghe. Quando *l'okonomiyaki* fu pronto e lei lo tagliò come si taglia una torta perfettamente rotonda, noi tutti, istintivamente, applaudimmo.

* Conosciuta soprattutto per i suoi libri di cucina, è inoltre un personaggio televisivo e cantante di *chanson*. [N.d.T.]

Quell'*okonomiyaki* preparato con tanta maestria non era solo bello, ma anche incredibilmente buono.

Lo gustai sapendo che, per quanto potessi sforzarmi, non sarei mai riuscita a creare un sapore come quello in tutta la mia vita.

Infine, nel mio personale mondo dei sapori ce n'è ancora un altro, e cioè quello del "tè freddo della signora Akko".

La signora Akko è una cara amica di mia madre, e quando ero piccola è stata spesso gentile con me.

A un certo punto si è sposata con un amico della mamma ed è andata a vivere lontano da noi, per cui non ci siamo più incontrate così spesso. C'è stato però un periodo in cui io e mia sorella prendevamo da lei lezioni di inglese, e andavamo sempre a casa sua.

Eravamo bambine, quindi aspettavamo con impazienza che ci offrisse la merenda, e ci importava più di quello che della lezione, ma adesso che è passato del tempo c'è qualcosa che mi manca anche più dei dolci.

È il sapore del tè freddo che la signora Akko ci preparava con tanta cura nella cucina del suo piccolo appartamento.

Nonostante non usasse né foglie di tè particolarmente pregiate né ghiaccio di buona qualità, il suo tè era davvero delizioso. Anche adesso, in qualsiasi *kissaten* di lusso io vada, non sono mai riuscita a ritrovare un sapore come quello.

"Il segreto sta nel raffreddarlo tutto in una volta."

Così ci diceva, ma non penso proprio che fosse solo quello. Appoggiava un contenitore trasparente in una ciotola che era nel lavandino, poi ci versava il tè scuro tutto in una volta e mentre lo faceva raffreddare con l'acqua corrente, aggiungeva il ghiaccio e lo lasciava così per un po'... si trattava semplicemente di questo, eppure ne risultava un tè amaro e limpido al punto giusto. E poi anche lo sciroppo con cui lo zuccherava era fatto in casa. Faceva bollire lo zucchero pazientemente, e la consistenza e la dolcezza erano perfette.

Ce lo faceva bere dopo averlo fatto raffreddare bene in

frigofero. Allora noi eravamo bambine e parlavamo poco, per cui ci limitavamo a pensare che era buono e che eravamo felici che ce lo preparasse.

E invece adesso che sono adulta quel sapore mi manca tanto.

Anche se lo preparo da me, non è mai uguale a quello. Chissà perché viene sempre fuori una cosa più sbrigativa, semplice, insapore. Poi non ho mai voglia di fare lo sciroppo e finisco sempre per comprarlo, per cui ogni volta ha un sapore leggermente diverso.

Mia sorella dice che forse le riusciva così bene perché si impegnava moltissimo a prepararlo nonostante fosse solo del tè freddo. La signora Akko in realtà era maldestra, e quindi faceva la massima attenzione a ripetere con costanza gli stessi gesti, come quando si cucina.

Giorni fa sono andata a casa della signora Akko per farle vedere il mio bambino appena nato.

La signora Akko ha perso il marito dopo una lunga malattia, e adesso vive da sola. Ma la famiglia di suo marito si prende cura di lei come se fosse la sua vera famiglia, ed è stato per me un sollievo vederla relativamente felice. Dopo un po' che teneva il bambino in braccio e che chiacchieravamo allegramente, all'improvviso la signora Akko è andata in cucina e, aprendo il frigorifero, ha detto:

"Ho preparato qualcosa che ti piaceva tanto da piccola, lo *special ice tea* della signora Akko!".

E ha tirato fuori il suo tè freddo versato dentro dei bicchieri in tutto e per tutto identici a quelli che usavamo allora. Persino il contenitore dello sciroppo era lo stesso di vent'anni fa. Forse anche la cura con cui usa gli oggetti ha una parte di merito nella preparazione di quel tè dal sapore delicato.

Sorseggiavo quel tè a me così caro e nel frattempo riflettevo che se lei stessa dice che è speciale vuol dire che ci è voluto molto impegno per prepararlo. Mi sentivo sopraffatta dalla nostalgia mentre mi ritornavano alla mente gli anni della scuola media con il loro particolare malessere, l'inquietudine per il futuro, la lentezza.

Quel sapore era intatto, impresso con decisione dentro di me.

Non c'era più il lavandino del piccolo appartamento di allora, questa era la cucina spaziosa di una casa unifamiliare, ma sicuramente la signora Akko aveva preparato quel tè senza cambiare niente, così da avere sempre lo stesso sapore a me tanto caro. Ne ho bevuto un bicchiere dopo l'altro, e mi sono sentita felice.

Le ragazze di oggi mangiano tanta verdura, dispongono i cibi nei piatti con cura, cucinano in modo bilanciato, non mangiano fuori pasto. Quando vedo queste scene, mi dico spesso che noi giapponesi siamo riusciti a portare la nostra cucina a un nuovo livello. Ovviamente se questo è potuto accadere è solo grazie al lavoro appassionato di cuochi e studiosi che si sono opposti a una mentalità sciatta, concentrata unicamente sulla velocità e sulla quantità.

Nelle librerie ci sono tanti libri di cucina destinati non solo alle casalinghe, ma anche alle persone giovani e ai single, e si vendono bene. Le ricette al loro interno propongono piatti composti recuperando il gusto tutto giapponese per il dettaglio, la cucina occidentale di diversi paesi, e usando tanta verdura di stagione, alimenti che fanno bene alla salute. Quando vado nei caffè gestiti da giovani, vedo molte persone consumare piatti sani ed equilibrati – anche troppo per i miei gusti. I tempi sono cambiati, mi dico, piena di gioia e di speranza.

Ho la sensazione che la cucina del futuro per i giapponesi rappresenterà un motivo d'orgoglio agli occhi del mondo.

Penso proprio che Patrice Julien avesse ragione quando diceva che i pasti quotidiani devono essere considerati come delle opere d'arte.

La tavola è come una tela dipinta che ci insegna che "oggi" è una volta sola. L'immagine dipinta svanisce alla fine della giornata, ma il suo ricordo resta scolpito nella mente delle persone che erano sedute al nostro stesso tavolo. È qualcosa che i soldi non possono comprare, e che resta proprio in quanto svanisce.

Costruire sapendo che scomparirà: come per i mandala di sabbia tibetani.

E se poi ci capita di ritrovare lo stesso menu preparato dalla stessa persona, anche quella è una delle gioie della vita.

Le persone scorrono via condividendo le ore di innumerevoli pranzi e cene. Aggiungono un ricordo all'altro fino a quando un giorno non potranno più mangiare e abbandoneranno questo mondo, e tante persone in tanti posti diversi continueranno a dipingere immagini che solo loro sanno dipingere, con colori che nessun altro conosce.


## Dimenticanze

Subito dopo il trasloco ho fatto un viaggio in Kansai. Avevo un impegno di lavoro preso quando ancora non sapevo che mi sarei trasferita, e non ho potuto spostarlo. Quindi, con la casa ancora sottosopra, ho cercato di preparare i bagagli e sono uscita.

Dopo un po' che ero in macchina, mi è venuto in mente il messaggio di batteria carica sul display del telefono cellulare. Ho detto a Nattsu, che stava guidando:

"Scusa, torna indietro! Ho dimenticato il cellulare!".

Poi, dopo essermi scusata per telefono con Haruta e Yōko, che aspettavano alla stazione di Tōkyō, sono tornata a casa e l'ho preso al volo. Non avevo tempo per accertarmi se stavo dimenticando dell'altro. In ogni caso l'essenziale era che avessi con me il latte, il biberon, il disinfettante, la giacca del bambino, i pannolini e le salviette. Effettivamente era così, ma mi ero dimenticata una cosa ben più grande.

Entrati in autostrada, Nattsu mi ha chiesto:

"Il passeggino... lo abbiamo preso?".

Non lo avevamo preso. Tutti, Nattsu compreso, eravamo stanchi per il trasloco, e non riuscivamo a far funzionare la testa.

Ci siamo precipitati da Daimaru, dove abbiamo trovato solo un passeggino per neonati. In fondo è più che normale. Immagino che non ci siano così tante persone che comprano un passeggino al Daimaru della stazione di Tōkyō.

Inoltre ero stanca da morire, e cominciavo a essere di malumore, per cui ho detto a mio marito che forse era meglio rinunciare al viaggio, visto che senza passeggino sarebbe stato faticoso, oltre che pericoloso. Lui ha risposto che in cinque adulti ce la saremmo cavata, in un modo o nell'altro. Ripensandoci mi sono convinta, e abbiamo raggiunto gli altri. Haruta e Yōko avevano comprato *onigiri* e bevande, e ci hanno accolto sorridenti. E così siamo saliti tutti sullo *shinkansen*.

Il mio bambino era ancora troppo piccolo per riuscire a camminare a lungo da solo, e quando si addormentava lo dovevamo portare in braccio con i suoi dodici chili di peso, per cui il passeggino era indispensabile.

Ciononostante, ci siamo detti che tutti insieme, in qualche modo, ce la saremmo cavata.

Come se non bastasse, lui è così legato a Nattsu che non si lasciava prendere in braccio né per mano da nessun altro. Subito iniziava a piangere e tendeva le braccia verso Nattsu, e alla fine toccava sempre a lui tenerlo in braccio. Un po' mi dispiaceva, ma non c'era niente da fare. In momenti come questi, il fatto che non sia un bambino di quelli che vogliono sempre e solo la mamma mi sembra una gran fortuna.

In realtà lo penso sempre.

I bambini che vogliono solo la mamma fanno tenerezza, e in un certo senso è un piacere sentirli, ma allo stesso tempo ho l'impressione che facciano così perché non sono del tutto sereni, e perché di solito stanno sempre soltanto con la loro mamma. Ovviamente ogni bambino vuole bene alla propria mamma più che a ogni altra persona, per cui adesso mi riferisco solo al mio caso, ma penso che mio figlio sappia sempre che "la mamma c'è", che "tornerà", che "è normale che ci sia". Mi rende felice che abbia questa certezza.

Poiché in famiglia tifiamo tutti per gli Hanshin,* siamo andati a comprare alcuni gadget nei grandi magazzini Hanshin, e già che c'eravamo abbiamo cercato di nuovo un passeggino. Poiché quelli pieghevoli non raggiungono gli standard di sicurezza richiesti dal grande magazzino, non possono venderli. Ce lo ha spiegato una giovane commessa:

"Siamo spiacenti, ma i passeggini pieghevoli non sono conformi agli standard di sicurezza disposti dalla direzione, e quindi non li teniamo".

Questa è una cosa che si verifica spesso. Per quanto si possa insistere, o chiedere magari di ordinarne uno, il commesso sorride e ripete all'infinito quello che ha già detto... ecco, una sensazione che negli ultimi anni ho provato fino alla nausea. Viene da chiedersi chi mai abbia potuto concepire un sistema così antipatico. Che si vada in banca, ai grandi magazzini o al ristorante, nel momento in cui capita qualcosa di imprevisto, si è messi di fronte a quell'arte del rifiuto fatta di "sorriso, gentilezza, ripetizione, fermezza, e poi tutto da capo".

Ma quella commessa non era così.

"Ah, però, visto che non è lontano potreste provare da Akachan honpo, più avanti. Noi non ne abbiamo, ma loro sicuramente sì."

Ce lo ha detto con un leggero accento del Kansai, spiegandoci a gesti come arrivare.

---

* Hanshin Tigers. Squadra del campionato giapponese di baseball con sede a Nishinomiya, nella prefettura di Hyōgo. A gestire la società è il gruppo Hankyū Hanshin Holdings, che comprende molte altre attività, tra cui una catena di grandi magazzini e una linea ferroviaria. [*N.d.T.*]

"Grazie per averci dato queste informazioni anche se non abbiamo comprato nulla qui."

"Prego! E scusate se non ho potuto aiutarvi."

Così dicendo ci ha salutati con un sorriso, ed è tornata al lavoro.

Dopo tanto tempo avevo avuto l'impressione di incontrare un essere umano.

Quando siamo arrivati al piano interrato, si era formata una fila di fronte al banchetto delle seppie arrostite. Uomini e donne, nonne, studenti e bambini erano tutti uno dietro l'altro. Sembravano tutti voler dire: "È normale che tanta gente venga a comprarle: costano poco e sono buone!".

E mentre mangiavo la mia seppia arrostita sentivo di avere assistito a un'altra espressione del calore umano.

L'appuntamento del giorno successivo era di sera, e quindi avevamo del tempo da trascorrere dopo il check out dall'albergo. Non avendo il passeggino, non ci si poteva allontanare troppo. Dopo pranzo ci siamo consultati, e abbiamo deciso che, dal momento che avevamo delle compere da fare, la cosa migliore fosse andare al Tōkyū Hands vicino. Lì Yōko e Haruta avevano scoperto per caso che si potevano noleggiare i passeggini, quindi abbiamo compilato tutti i moduli e ne abbiamo preso uno. Non appena si è seduto, il bambino si è addormentato, e tutti noi abbiamo tirato un sospiro di sollievo. Mentre assaporavamo la comodità del passeggino ci siamo rilassati ognuno a modo suo: chi comprando scarpe per il bambino, chi scegliendo articoli di cancelleria per lo studio, chi sonnecchiando su una panchina.

A un certo punto mi sembrò strano che ce la stessimo prendendo così comoda. Poi ci ho pensato e ho capito. Anche se eravamo da Tōkyū Hands, non c'era nessuno. Tōkyū Hands è sempre affollatissimo, con file alla cassa e i commessi tutti di corsa, tanto che – non sempre, ma la maggior parte delle volte – non si riesce mai a guardare niente con calma.

Invece quell'Hands era vuoto, in modo assolutamente normale, come è giusto che sia in un pomeriggio feriale.

Ancora una volta ebbi la sensazione di trovarmi di fronte a qualcosa che a Tōkyō non c'è più. Ozio... che parola raffinata.

L'appuntamento in realtà era con un sensitivo, un signore dal quale noi tutti andavamo spesso quando eravamo giovani. Adesso lo volevo ringraziare e, già che c'ero, fargli vedere il mio bambino.

Come sempre, il suo appartamento era pieno di clienti, ma quando è arrivato il nostro turno è andato incontro al bambino sorridendo. Non è per niente cordiale né sollecito, ma è una persona meravigliosa, che desidera con tutto il cuore che la gente non soffra. La stanza è spoglia e poco luminosa, e la carta da parati in diversi punti è staccata. Lui trascorre tutte le sue giornate lì, cercando il più possibile di essere d'aiuto alle persone con le sue premonizioni. Ma non c'è traccia di sciatteria. Le piante sul tavolo sono concimate a dovere.

A vedere del concime per piante in quell'appartamento da vedovo, provai una sensazione di sollievo, e fui felice di esserci andata.

Non voglio dire né che in Kansai sia tutto perfetto, né che Tōkyō sia un posto freddo e privo di umanità. La vita è fatta di piccole felicità insignificanti, simili a minuscoli fiori. Non è fatta solo di grandi cose, come lo studio, l'amore, i matrimoni, i funerali. Ogni giorno succedono piccole cose, tante da non riuscire a tenerle a mente né a contarle, e tra di esse si nascondono granelli di una felicità appena percebile, che l'anima respira e grazie alla quale vive.

È triste che tutto questo, poco alla volta, si stia perdendo. Alcune cose appaiono marginali, incomprensibili, inefficaci, trascurabili, e poco a poco scompaiono. Eppure, para-dossalmente, sono proprio quelle cose a costituire la fonte di sostentamento principale dell'anima. E invece negli ultimi an-ni tutti sembrano pensare solo al proprio interesse, la crimi-nalità è aumentata e anche le frodi. Ormai la gente ha paura di tutti i cosiddetti "fattori di rischio". Forse anche per me è così. Per questo mi sento sicura soltanto quando mi trovo di fronte a cose certe. Ma ho la netta sensazione che questo mo-do di fare non abbia futuro.

A furia di prendere in braccio il bambino, Nattsu aveva male alle braccia, ma a parte questo è stato un viaggio bellis-simo. Alla fine Haruta ha deciso di fermarsi dai suoi genito-ri in Kansai per il fine settimana, e ci siamo salutati ai cancel-li dello *shinkansen*. Nonostante sapessimo che ci saremmo vi-sti la settimana successiva a Tōkyō, e che nel frattempo po-tevamo telefonarci e scambiarci e-mail, quando ci siamo se-parati dopo aver passato tutto quel tempo insieme mi sono sentita triste e mi è venuta quasi voglia di piangere.

Che sciocchezza. Ma in fondo siamo esseri umani.

Quella notte, la sorella di Haruta ha partorito.

Se quella volta mi fossi fatta scoraggiare dalle cose che ave-vo dimenticato, e avessi annullato il viaggio, probabilmente anche Haruta avrebbe rinunciato a partire per il Kansai, e co-sì non avrebbe potuto vedere subito il bambino di sua sorel-la. Abbiamo fatto bene a partire cercando di far andare tut-to nel verso giusto, piuttosto che immaginare scenari negati-vi, farci prendere dall'ansia e desistere perché avevo dimen-ticato delle cose, perché non sapevamo come sarebbe anda-ta a finire, o per la paura di essere coinvolti in qualche inci-dente. Per fortuna non ci siamo innervositi né bloccati, e ab-biamo avuto la meglio su quei brutti pensieri. In fondo si vi-ve solo quando si creano ricordi... questo pensavo mentre, esausta, mi dicevo che avevamo fatto bene a partire.

## Angurie

A Kōchi il tramonto è sempre una grande emozione.

Un sole meraviglioso, straordinario, sembra quasi che sprofondi. Forse perché mi capita sempre di andarci con il bel tempo.

Sarà che ci sono molte persone che amano il sakè, e la sera ci si può finalmente concedere di bere, sarà che a fine giornata la gente tutt'a un tratto si rilassa, ma lo stesso non riesco proprio a spiegarmi cosa gli prenda. Il senso di liberazione dopo un giorno di lavoro? Il tempo caldo e abbagliante? Comunque sia, mi piace osservare il modo in cui la gente di Kōchi, di sera, si ricrea. In quel momento della giornata tutti riprendono la loro espressione naturale, diventano un po' più loquaci e gentili.

Un inserviente dell'albergo mi dice in gran segreto che la birra è meno cara al vicino *konbini* piuttosto che lì da loro, e la receptionist, a cui ho chiesto come arrivare al fiume, sorride e mi spiega una strada un po' più lunga ma con una vista particolarmente bella. Poi, finito di lavorare, vanno tutti a casa.

Quando vedo tutto questo, mi rendo conto di cosa manchi alla gente di Tōkyō.

Si tratta di quell'elasticità che deriva dalla fiducia nella buona fede delle persone. Penso che sia un atteggiamento diffuso tra le persone che vivono in metropoli con alte percentuali di criminalità.

Qualche tempo fa sono stata in un bar di Tōkyō. Dopo aver ordinato molte birre e stuzzichini, una mia amica ha proposto di aprire il vino da dessert che aveva portato come ricordo dall'Europa. Era tornata in Giappone da poco, ma sarebbe andata a vivere all'estero per un lungo periodo, e quindi quel giorno stavamo celebrando anche una festa di arrivederci in suo onore.

Con discrezione, abbiamo chiesto a una giovane e simpatica cameriera se potevamo avere dei bicchieri, e lei ci ha portato dei boccali da birra. Siccome non aveva il cavatappi, lo abbiamo preso in prestito da un amico che ha un locale nelle vicinanze.

Dopodiché, non potendolo bere così apertamente, abbiamo stappato piano piano la bottiglia e ognuno di noi sette ha assaggiato un po' di quel vino.

Tra l'altro eravamo gli unici clienti, e alla chiusura mancava non più di un paio d'ore.

Immediatamente dalla cucina si è sentito qualcuno che sgridava la cameriera.

E poi all'improvviso è venuto fuori un ragazzo, chiaramente più giovane di noi, che diceva di essere il proprietario e ha iniziato a farci la predica. Diceva che non potevamo farlo, che quello era un bar, eccetera eccetera.

Noi abbiamo provato a spiegargli la situazione. Questa nostra amica in breve tempo lascerà il Giappone. È lei che ha portato questo vino come ricordo dall'estero, e per noi è speciale. Non possiamo proprio berlo? Se vuole paghiamo qualsiasi cifra...

Al proprietario del locale non lo abbiamo detto, ma in realtà quel vino era un ricordo del viaggio che la mia amica aveva fatto per disperdere le ceneri del marito morto. Ogni persona porta un storia dentro di sé.

Ma lui ci ha risposto, con un'espressione tanto seria da sembrare stupida:

"Se do il permesso una volta, non la si finisce più".

Che cosa diavolo volesse dire con "non la si finisce più" non l'ho capito, ma comunque se se la prende così tanto non c'è molto da fare, ci siamo detti, e senza neanche arrabbiarci abbiamo pagato e siamo andati via. E poi ci siamo fermati a bere e chiacchierare allegramente sul marciapiede.

Se il proprietario del locale fosse stato un po' più intelligente, e se avesse fatto caso al nostro aspetto, al nostro modo di parlare e al fatto abbastanza singolare che avessimo tutti età diverse, avrebbe potuto intuire che siamo persone relativamente conosciute, ognuno nel suo campo. Queste sono le cosiddette strategie delle persone di successo: basta andare in libreria per trovarsi di fronte a montagne di manuali che trattano questo argomento, e sono sicura che imprenditori ed esercenti che si rispettino ne possiedono almeno uno. In ogni caso i libri non servono a niente, se poi si manca di spirito di osservazione. Le attività che hanno successo sono sempre gestite da persone che hanno ben chiaro questo concetto.

Se avesse voluto assumersi qualche rischio e ci avesse fatto bere il nostro vino, probabilmente in futuro ognuno di noi gli avrebbe portato molti altri clienti, e invece in quel momento li ha persi tutti.

Un bar che all'una di sabato notte non ha neanche un cliente mi sembra in condizioni abbastanza critiche.

In un attimo si è giocato l'opportunità di uscire da quella situazione critica. E forse, in questo momento, quel bar non esiste neanche più. Magari ha cambiato gestione, o è diventato un altro bar.

Questo è in sostanza quello che succede regolarmente alle catene di bar nelle grandi città.

Se si investe solo per l'apertura e per il marketing è normale che non ne segua alcun guadagno. È il personale la vera ricchezza, e i clienti sono esseri umani. Quelli che non lo capiscono, e che si fanno in quattro per cercare un compromesso, sono destinati al fallimento. E poi non fanno che ripetere tutti le stesse cose, che "c'è crisi", "non c'è più tanta gente che beve fino a tardi", "forse dovremmo passare a un tipo di snack più naturale", "bisognerebbe cambiare *concept*", "il posto è buono, ma nessuno ci viene", eccetera eccetera.

In passato ho lavorato part-time presso la sede centrale di una famosa catena di *konbini*. Nei periodi in cui le vendite erano particolarmente in ribasso, prima dell'apertura affidavano a una specie di investigatore il compito di raccogliere informazioni nei dintorni del negozio. Serviva a capire se le persone che passavano lì davanti fossero giovani, anziane o di mezza età, e a verificare lo stile di vita di chi gestiva il negozio, accertarsi che non fosse un alcolizzato, ad esempio, e che andasse d'accordo con sua moglie. Mi è capitato diverse volte di mettere in ordine relazioni in cui erano annotate in modo semplice ma dettagliato tutte queste cose. Non ho dubbi che, in una certa misura, aprire un negozio basandosi su informazioni di quel tipo possa far guadagnare clienti, ma nella realtà può capitare che le cose non vadano come previsto. Gli spostamenti della gente, come l'atmosfera di un negozio, sono determinati da combinazioni di elementi minimi e imprevedibili.

In realtà gli esseri umani sono creature estremamente sensibili, e a me capita spesso, quando sono di buonumore, di entrare per prima in un locale vuoto e vederlo riempirsi subito dopo. Anche Itoi Shigesato* ha detto una cosa del genere. La gente si sente istintivamente attratta dalle persone che per lavoro sono abituate a interagire con gli altri.

Per questo, se all'angolo di fronte a un locale c'è una casa particolarmente fatiscente, abitata da persone che non vanno d'accordo l'una con l'altra, è evidente che questo costituisce un danno, tanto quanto una tempesta.

E allora mi chiedevo, da quand'è che i bar di Tōkyō seguono regole precise come fossero uffici? Per il momento avevamo archiviato quel rifiuto senza traumi eccessivi, dicendo che non ci saremmo più tornati. Però mi aveva colpito il fatto che un ragazzo di trentaquattro anni che era con noi avesse detto che in fondo non c'era nulla di cui meravigliarsi. Ho pensato che evidentemente la loro generazione si è abituata a questo genere di cose, oramai. Non conoscono il Giappone dei bei tempi passati.

* Personaggio del mondo televisivo e radiofonico, è inoltre scrittore di numerosi saggi e autore di testi musicali. [*N.d.T.*]

Lavorando in casa mi capita spesso di rispondere a telefonate in cui propongono la vendita di qualcosa.

Di solito rifiuto dicendo che al momento non mi serve niente, ma certe volte ci sono persone che sembrano macchine, e continuano a telefonare a quell'ora perché è il loro lavoro, ben sapendo che riceveranno una risposta negativa.

Anche poco fa me ne è arrivata una.

Dalla cornetta proveniva una voce meccanica.

"Chiamo per conto della ditta XX, specializzata nello smontaggio e pulizia delle apparecchiature da cucina."

"Questa è un'abitazione in affitto, e la decisione spetta al proprietario, quindi per il momento non ne ho necessità" ho detto io, e dall'altra parte quella voce completamente priva di emozioni ha risposto: "Ho capito".

E ha messo giù.

Il numero delle telefonate che questa persona fa consecutivamente, il numero delle volte in cui riceve un rifiuto, quello delle volte in cui viene rimproverata per non essere riuscita ad aggiudicarsi un cliente, la paga che riceve dalla ditta per ogni ora di lavoro, l'instabilità finanziaria dell'azienda... non so spiegarlo bene, ma non riesco a togliermi dalla mente l'idea che si dimentichino troppe cose importanti. Compresi i sentimenti delle persone. Dopotutto è il mondo, è la grande società di oggi a funzionare in questo modo. Ogni professione ha la sua utilità, è nata perché ce n'era bisogno, e quando non sarà più così, sparirà. Ma questa persona, che tutti i giorni lavora con una voce da morto, nel privato, quando arriva la sera, sa rilassarsi come un essere umano? Riesce a ridere con tutto il cuore?

Non è una cosa che mi riguarda, e non sta a me preoccuparmene, ma ho provato una sensazione di tristezza mista a rabbia pensando a questa società che comprende così tante persone che lavorano in questo modo.

A Kōchi c'è una di quelle bancarelle senza venditore con angurie giganti a mille yen. La custode del bagno pubblico di fronte alla bancarella ci ha detto con orgoglio, nonostante non fosse poi lei a venderle, che erano molto economiche e che ci conveniva comprarle, visto che – aveva sentito dire – a Tōkyō le angurie costano molto di più. Ci siamo convinti, e ne abbiamo comprata una.

Al ristorante dell'albergo abbiamo chiesto se potevano servircela a cena. Sebbene un po' riluttante, un cameriere ci ha portato a tavola l'anguria dopo averla tagliata a fette in cucina.

La mattina dopo ce l'hanno servita di nuovo, rinfrescata a dovere.

Al momento di ripartire ci hanno chiesto cosa volessimo fare del resto dell'anguria, visto che ce n'era ancora metà. Noi abbiamo risposto che potevano mangiarla, ma loro con molta gentilezza l'hanno sistemata in una busta di plastica piena di ghiaccio e ce l'hanno fatta portare.

Abituata come sono alla freddezza di Tōkyō, questo comportamento mi è sembrato così gentile da farmi quasi paura.

E così ci siamo presentati all'albergo successivo con la nostra anguria.

Ci siamo profusi di nuovo in mille scuse, e abbiamo chiesto di servircela a cena e a colazione.

Allora un inserviente dell'albergo ha detto:

"Scusate, anche noi abbiamo l'anguria come dessert, oggi. Però, a giudicare dal buon profumo che ho sentito quando l'ho tagliata, la vostra è decisamente migliore!".

Era una sensazione che avevo dimenticato.

Una disposizione naturale verso le cose divertenti, buone, verso la felicità della gente.

Se solo anche Tōkyō un giorno potesse tornare indietro. Certo, è difficile, e non tutto quello che appartiene al passato è positivo. Ma mi sono commossa, e l'ho desiderato.

Giorni fa ho visto il film *8 mm*. Al di là degli omicidi e dei filmati snuff, la cosa che mi ha colpito di più è stata che il detective e sua moglie lasciavano sempre dormire la bambina da sola, nonostante la situazione fosse estremamente pericolosa. In Giappone una cosa del genere è inconcepibile. A pensarci bene, mi vengono in mente diverse scene di film in cui i genitori vanno a vedere un bambino nella sua stanza solo dopo che lo hanno sentito piangere. Forse lì sta la chiave del forte senso di indipendenza degli occidentali. Anche nelle lettere dei miei fan ritrovo la stessa differenza. I bambini giapponesi scrivono ponendosi di fronte alla scrittrice, mentre quelli occidentali scrivono del loro rapporto con l'opera.

Fino a poco tempo fa, in Giappone c'era tutto un mondo che ruotava intorno al giusto modo di crescere i bambini. Le famiglie di ogni quartiere erano tutte un po' come imparentate tra loro, e spesso quando si usciva di casa non si chiudeva nemmeno la porta a chiave. Ogni volta che nasceva un bambino, che i membri di una famiglia aumentavano o diminuivano, le persone del quartiere erano lì, pronte a condividere. I bambini, così, erano allevati da tutti. Genitori, fratelli, nonni e nonne, e poi dalle case della gente del vicinato fino agli spazi aperti e la natura tutt'intorno, tutti quegli ambienti partecipavano a tirare su un essere umano. Adesso non è più così. Ci ispiriamo all'Occidente solo superficialmente, perché i bambini dormono nella stessa stanza dei genitori fino a quando sono relativamente grandi, e intorno non c'è nessuno a cui possiamo lasciarli durante l'orario di lavoro o quando siamo fuori casa. Per questo nessuno fa più bambini. Perché le preoccupazioni sono di più delle cose piacevoli e divertenti. Ma se si prova soltanto ansia all'idea di mettere al mondo le generazioni successive alla propria si parte con il piede sbagliato. Anche per gli ospedali è la stessa cosa. Da un po' di tempo non si fa che dire che ci si entra

vivi e se ne esce morti, e quindi tutti hanno paura di andarci. Neanche questo va bene. Cosa costruiranno i giovani delle prossime generazioni, se partono da una situazione che
permette loro di vedere solo le cose peggiori? In che modo
affronteranno i cambiamenti? Questa è la grande sfida degli
anni a venire.

In passato ho lavorato part-time negli uffici della sede centrale di un *convenience store*. Una persona dell'amministra-
zione stava effettuando dei sopralluoghi in una zona dove si
pensava di aprire un negozio, ma contemporaneamente stava prendendo contatti anche per un locale che si trovava nello stesso quartiere, proprio di fronte al primo. Un po' inter-
detta, chiesi cosa sarebbe successo se tutti e due si fossero resi disponibili. Mi fu risposto che in quel caso avremmo aperto entrambi i negozi, e avremmo fatto sì che si facessero con-
correnza a vicenda. Mi sembrò assurdo. L'immagine stessa di
due *convenience store* identici uno di fronte all'altro, aperti
ventiquattr'ore su ventiquattro, era ridicola. Anche dal punto di vista del paesaggio, non sarebbe stata una bella cosa.
Però era chiaro che, se si mette al centro il denaro, eventua-
lità come questa non sembrano poi così insensate. In fondo
il fatto stesso che si sia sviluppata una mentalità del genere è
uno dei motivi di interesse del Giappone. Gente che produce e si diverte a scegliere centinaia di suonerie per i telefoni
cellulari. Strade piene di ragazze normali che si mettono ai
piedi sandali dai tacchi vertiginosi, si truccano in modo pesante e camminano traballando per giornate intere. Persone
che chiedono prestiti per comprare su ordinazione orologi e
scarpe da decine di migliaia di yen. Una cultura che non lascia niente al caso, ma che manca di creatività. A volte non
capisco più niente. Ma osservo con interesse gli sviluppi ati-
pici di quelle fronde che si protendono in direzioni imprevedibili.

Un giorno mi sono domandata perché ai miei cani dessi del cibo per cani, quando poi buttavo via gli avanzi dei miei pasti. Oggigiorno, in Giappone, quello che tutti pensano è che la vita media dei cani si accorcia se mangiano cibi diversi da quelli prodotti espressamente per loro. Io stessa ne sono stata convinta per molto tempo, e in una certa misura credo che sia vero. Però poi ho pensato che fosse assurdo buttare via gli avanzi delle cose buone che noi uomini abbiamo mangiato e poi andare a comprare del cibo per cani, così come è assurdo imporre solo ai cani l'obbligo di una lunga vita, quando noi stessi ci curiamo più di vivere felicemente, che di vivere a lungo. E così ho iniziato a preparare dei pasti privi di aromi, fatti di verdura, carne e riso bolliti. Quando ho visto che il cane li mangiava con molta più gioia ed entusiasmo di prima, mi sono detta che avevo visto giusto: è un essere vivente, e in quanto tale è normale che trovi più appetitosi ingredienti freschi, piuttosto che un pasto secco, ricco solo di sostanze nutritive. Anche se la sua vita si sarebbe accorciata un po', in quel momento il mio cane era contento. Non voglio imporre questo modo di vedere le cose a nessuno, perché mi rendo conto che richiede degli sforzi, e che non tutti hanno l'abitudine di cucinare a casa, però quando ho visto l'espressione felice del mio cane è come se mi si fossero aperti gli occhi. Cos'è che prima di allora avevo perso di vista? È chiaro, era qualcosa di molto importante. Avevo smesso di pensare con la mia testa, e di prendermi le mie responsabilità. È una cosa che succede in continuazione se si vive in Giappone.

Un po' di tempo fa sono andata a Palermo. Ogni giorno, verso sera, il sole risplendeva del colore dell'oro, e il cielo per un po' restava di un bell'azzurro, tanto denso da far venire l'ansia. Persino le strade intasate dal traffico rilucevano di quell'azzurro, e i volti delle persone che si affrettavano a casa nelle loro auto, chissà perché, sembravano tutti belli e fe-

lici. Quella gioia si avvertiva persino nelle frazioni più pove-
re, in cui i bambini correndo a piedi nudi attraversavano campi pieni di brecciolino. Nei vicoli tra i palazzi attaccati l'uno
all'altro, due ragazze che abitavano vicine si sporgevano dalle finestre del terzo piano e parlavano e ridevano osservando
la confusione giù in strada. Tutta la loro famiglia viveva in
quelle piccole stanze, erano vestite in modo semplice, e probabilmente erano preoccupate per il futuro, eppure sembravano divertirsi tanto. Quelle ragazze conserveranno per sempre il ricordo di tutte le serate meravigliose, delle chiacchiere scambiate con le vicine mentre guardavavano la strada dal-
l'alto. Non è proprio questa la vita? La felicità in mezzo a qualsiasi sofferenza, come una benedizione che ci viene dal mondo intorno.

E ancora, quando sono stata in Sud America, nel giardino dell'albergo c'era un'area delimitata da comune nastro ade-
sivo. Quando ne ho chiesto il motivo a qualcuno del personale, mi hanno spiegato che serviva a mettere in guardia i
clienti, perché in passato era capitato che un giaguaro attac-
casse un bambino. Fui sul punto di rispondere che il giaguaro non può capire il significato del nastro, ma poi ebbi la sensazione che in quell'aria densa, sotto quel prepotente cielo azzurro, dove ogni essere vivente sprigiona un odore intenso,
una morte del genere si potesse concepire senza troppi sen-
timentalismi. È un clima nel quale bisogna accettare che gli
dèi si portino via come se niente fosse la vita della gente del
posto, offrendo in cambio una bellezza brutale. Tutto è legato alla percezione del piacere tipica di quella terra.

È proprio questo che il Giappone sta perdendo. Non ci
importa più di vivere così come vorrebbero il particolare momento dell'anno e la sua natura, ma assaporiamo fino in fondo i frutti dei nostri interventi sconsiderati.

Un signore che conosco vive a Hirano, nella prefettura di
Nara. È una zona abbastanza sviluppata, ma il profilo regolare delle montagne, che affiora oltre l'ampia distesa di gran-

di campi vuoti, attraversati dallo scorrere lento del fiume, è un'immagine che, forse, è rimasta identica a com'era nell'antichità.

Quando fa sera tutto si tinge d'oro e di arancio, fino in fondo, completamente. Quando arriva a casa c'è sua moglie con la cena pronta ad aspettarlo, e uno a uno rientrano i suoi figli. Mangia lentamente e intanto osserva le foglie del giardino farsi color dell'oro e arancio, e il cielo che da rosa diventa di un indaco cupo, e così pian piano dimentica la fatica della giornata. La birra che si beve in quella zona ha un sapore diverso da tutti gli altri, e il cibo arriva fin dentro l'anima. Forse i giapponesi dell'antichità più remota guardavano il cielo al tramonto in questo paesaggio, provavano queste emozioni mentre lottavano con la natura. Guardavano ogni sera un crepuscolo che non sarebbe mai più tornato. Gli esseri umani non potrebbero vivere se non ci fossero momenti di felicità come questo.


## Semplicemente, stupidamente

Nella Tōkyō di quando ero bambina non si andava quasi mai a cena fuori, e la televisione era in bianco e nero.

L'automobile privata era una cosa da ricchi, e nessuno chiudeva mai la porta di casa a chiave. Tutto intorno era pieno di libellule, grilli e mantidi.

Adesso tutto questo sembra un sogno. Come cose di un passato lontano.

Eppure il nostro corpo non è molto cambiato rispetto all'antichità e le giornate sono ancora di ventiquattro ore. È evidente che non si può fare più di tanto. Ciononostante, il Giappone della nostra epoca richiede alle persone di diventare sovrumane.

Qualche volta, quando vado all'estero, tiro un sospiro di

sollievo perché, diversamente dal Giappone, nessuno pretende un impegno insensato.

Tutti portano normalmente addosso l'odore del proprio sudore, indossano abiti vecchi, ingrassano o dimagriscono a seconda della loro costituzione fisica, sono gentili, se anche si prendono a pugni non si ammazzano, e nella maggior parte dei casi una rapina non porta loro via la vita.

Normalmente fanno tardi al lavoro, capita anche che per questo si arrabbino in maniera esagerata, normalmente sono accomodanti e qualche volta finiscono nei guai. Ma soprattutto sanno godere delle cose normali.

Quando sulle spiagge italiane vedo signore e signori di stazza enorme che se ne stanno sdraiati con il grasso che fuoriesce dai costumi, mi sento sollevata.

Certo, le eccezioni ci sono ovunque, e quindi non posso fare di un paese straniero un paradiso. Però ogni volta che sono all'estero sento le spalle più leggere, la mattina è mattina, la sera è sera, e alle cose di domani penserò domani... questo è certo.


In Giappone è come se l'aria fosse impregnata di qualcosa di pesante.

In particolare sono gli anziani e le giovani donne a essere sottoposti più di altri a questa pressione.

Ovviamente si tratta anche di una pressione di tipo economico.

Per quanto riguarda gli uomini di una certa età, non ho elementi sufficienti, e quindi lascio che siano altri a giudicare (le persone che mi capita di incontrare hanno tutte delle qualità particolari, e per questo mi mostrano solo la parte migliore di sé), ma quanto alle giovani donne, ne conosco tante di storie a proposito.

Molte di loro, schiacciate dalle richieste del mondo attuale, si sono ritrovate escluse, hanno perso la salute, si sono imbruttite e soffrono, tanto da non riuscire più a parlare con la gente.

Vorrei più di ogni altra cosa che qualcuno me le restituisse così come erano prima.

Nella mia testa conservo moltissime immagini dei tempi in cui quelle giovani erano sane e piene di vita. Sarebbero dovute rimanere com'erano, a qualsiasi costo.

Mi viene voglia di chiedere perché quelle normali ragazze, ognuna delle quali era dotata di un talento unico, di un sorriso insostituibile, di un animo gentile, si siano ridotte così.

Sono loro i veri canarini delle miniere.

Rispetto alla generazione dei nostri genitori, il sistema di valori e la posizione dei maschi sono completamente diversi. Al giorno d'oggi, per un uomo, essere ricco non solo non equivale necessariamente a possedere una stabilità mentale, ma non dà neanche la certezza di restare ricco per tutta la vita, né significa che ami il proprio lavoro. Potrà sopportare in maniera eroica gli scossoni a cui è esposto, ma non è detto che otterrà mai le stesse garanzie delle generazioni precedenti. È probabile che i suoi genitori gli chiederanno di sposare una persona che goda di una certa stabilità economica. Questo perché, almeno ai tempi dei nostri genitori, chi possedeva una stabilità economica nella maggior parte dei casi era stabile anche psicologicamente.

Capisco bene cosa provano i genitori. È la sola cosa che possano dire, e in fondo nessuno può sapere cosa ne sarà della vita di queste persone negli anni a venire.

I mass media propongono ogni giorno le storie opportunamente gonfiate di persone di successo, e il pubblico ne è risucchiato. Tutti si sentono in colpa per qualcosa, che sia il fatto stesso di vivere, o la propria normalità. Sembra che tutti ne abbiano abbastanza di essere come sono, e che ormai pensino di non piacere, a meno che non dimostrino di saper lavorare in maniera sovrumana.

E poi mettere al mondo un figlio è prima di tutto una difficoltà economica.

Dopo che il bambino è nato, non c'è nessuno che offra un sostegno, la situazione economica peggiora, e capita che l'uomo si chiuda sempre di più rispetto alla sua famiglia. Se i sacrifici superano la gioia portata da un figlio, è normale che nessuno ne faccia più. Nemmeno le comunità locali sono accoglienti verso i bambini. Ci sono pericoli ovunque, è una società che non consente di portarli tranquillamente fuori da casa.

Eppure gli uomini non sono fatti per essere felici da soli. Vogliono stare con altri esseri umani. Che si tratti di amici, di familiari, di animali o del proprio marito, gli uomini non possono vivere se non hanno delle relazioni. Ciononostante siamo tutti così occupati che non riusciamo a incontrare le persone che amiamo. Siamo sempre di corsa, e non sappiamo più cosa significhi avere voglia di incontrare una persona e parlare con lei, oppure vedersi per andare a mangiare qualcosa di semplice.

E in un sistema freddo, che non concede un attimo di respiro, afflitto da tutti questi problemi, è alle giovani donne che si chiede di tenere la casa in ordine, di restare belle nonostante l'avanzare degli anni, di essere aggiornate, di abbandonare valori superati ma allo stesso tempo di andare d'accordo con i genitori e con i suoceri, di sostenere il proprio uomo, di mettere al mondo bambini.

Tutto questo è troppo.

Però ci sono persone con un forte senso del dovere, serie, corrette, che cercano in ogni modo di farlo, e finiscono così per crollare, perché lo stress è superiore al piacere e al benessere. La vita è una sola, e ogni persona è unica. È la cosa più importante di tutte, eppure troppo spesso ce ne dimentichiamo.

Non siamo nati solo per mangiare, né per guadagnare denaro, né per starcene senza far nulla, né per lasciare eredi, né tantomeno per invecchiare. Non siamo invece venuti al mondo perché dentro di noi brucia la fiamma di una passione? Per fare fino in fondo le cose per cui siamo portati? Non siamo qui, adesso, per amare i nostri cari e creare tanti bei ricordi, e portarli con noi fino a quando moriremo, senza rimpianti?

Non siamo nati per lavorare incessantemente, carichi di rabbia, senza fermarci mai, con la sensazione che ci manchi qualcosa, come se avessimo buttato via la nostra vita, mentre ci affrettiamo verso la morte in preda a un senso di inadeguatezza.

Questo è poco ma sicuro, lo capisce anche una stupida come me.

Vorrei che nessuno più fosse sconfitto. Vorrei che nessuno di quegli insostituibili sorrisi si perdesse, schiacciato dal tempo in cui viviamo.

Potrò sembrare pessimista, a giudicare da quello che ho scritto, ma penso anche che tutte le donne giovani e sensibili stiano cominciando a capire.

È che i risultati ancora non si vedono, perché stanno facendo solo dei tentativi, ma ho l'impressione che abbiano tolto il piede dall'acceleratore, e stiano ragionando seriamente su come fare per non lasciarsi travolgere dagli eventi. È un momento difficile, ma deve esserci per forza una via di scampo.

Ci sono riviste come "Ku:nel" e "Arne". Entrambe vendono molto. Parlano di persone giovani impegnate a costruire un'epoca nuova e tutta giapponese, oppure di persone più grandi che hanno percorso una strada tutta propria fuori dagli schemi della società. Io non sono capace né di cucinare né di cucire, per cui non riesco a fare niente di così bello, ma quando leggo le loro storie mi sento come se stessi facendo un sogno meraviglioso. Quelli sono dei modelli inediti. Modelli per gente che desidera cose diverse, che aspira a ottenere una ricchezza autentica conservando la propria serenità.

Non è una cosa nuova, ma sento che da lì qualcosa sta germogliando.

Qualche giorno fa sono andata allo Hara Museum perché c'era una personale di Nara Yoshitomo.

Tanti giovani formavano delle file e guardavano i quadri di Nara. Non sembravano né amanti della pittura né interessati all'arte contemporanea, ma non davano neanche l'idea di trovarsi lì semplicemente per guardare qualche quadro in un giorno festivo.

Erano in sintonia con i dipinti di Nara e con il suo stile di vita. Venivano per ricevere energia, attratti dal senso di sfida che trasuda dall'esistenza di Nara.

Ho pensato:

"Ecco, in origine andare a vedere dei quadri significava questo. Emozionarsi in tempo reale per le vite altrui e per la propria. Non solo per un piacere intellettuale".

Ho provato un senso di speranza all'idea che le persone che osservavano con tanto interesse quei quadri avrebbero portato con sé quello stato d'animo nella vita di tutti i giorni.

Dove non c'è speranza, non c'è neanche vita.


Cos'è successo a tutti? C'è proprio bisogno di distinguersi dagli altri?

Proviamo a trascorrere del tempo con gli amici o con la nostra famiglia, semplicemente, ripensando alle cose che abbiamo visto durante la giornata, raccontandocele. Lavoriamo il minimo indispensabile, concediamoci qualche errore, e se qualche volta otteniamo dei buoni risultati consideriamoli come il nostro piccolo motivo di orgoglio. Cerchiamo di ridurre il tempo passato a guardare cose che non vogliamo guardare e a fare cose che preferiremmo non fare. Limitiamo le ore trascorse inutilmente. Però smettiamola di affannarci per diventare qualcuno a tutti costi, per prendere iniziative, non ce n'è bisogno. Rallentiamo il ritmo, e prima di addormentarci ripensiamo a ognuna delle cose che abbiamo fatto. Sentiamoci grati per aver trascorso una giornata in salute, per la pace, per avere una famiglia, semplicemente.

"È facile a dirsi, ma le cose non vanno davvero così..." diciamo, e poi aggiungiamo tante scuse diverse. È necessario che ognuno di noi si opponga a questo modo di pensare. Tranquillamente, prestando ascolto al nostro cuore.

Il nostro tempo appartiene soltanto a noi (anche se siamo alle dipendenze di qualcuno, siamo stati noi a scegliere quel posto di lavoro. Neanche il più influente dei superiori può pretendere che sacrifichiamo tutto), e così pure il nostro corpo.

Se riprendiamo il controllo del nostro corpo, riusciremo a distinguere qualcosa di prezioso in ogni giornata. Cerchiamo di coglierne tutto lo splendore, per poi abbandonarci a un sonno sereno. Non è l'apparenza che conta. Ogni uomo ha un modo soltanto suo di agire, diverso da tutti gli altri. Ricordiamocene.

Solo così il mondo potrà ripartire.

È per contrapporre questo modo di pensare a quello vecchio, infantile, che andrò avanti imperterrita a scrivere romanzetti, prima di tutto per la mia soddisfazione e il mio divertimento personali. Se la gente li legge con piacere, e per un momento riesce a rilassarsi insieme a loro, allora la mia vita è assolutamente meravigliosa. Posso essere grassa, pigra, brutta o stupida, e non avere buon gusto, ma va bene così.

Sono certa che tutti hanno qualcosa come questa. Qualcosa per la quale le altre persone pensano "per fortuna che ci sei".

Ciascuno ha in sé una grande forza. Sarà capitato a tutti di vedere un'attività perdere ogni attrattiva nel momento in cui anche un singolo dipendente ha smesso di lavorarci. A volte un ristorante di *ramen* chiude e tutta la gente del quartiere se ne dispiace. Non è forse vero che quando, dopo un periodo di chiusura, l'Aoyama Book Centre ha riaperto, tutti sono andati a comprare i loro libri con il sorriso sulle labbra? Il lavoro accurato portato avanti per tutto quel tempo dai dipendenti ha dato i suoi frutti. Per quanto sia difficile da giudicare a prima vista, quando una persona brilla di luce propria significa che ha qualcosa di speciale.

Tutto nasce dentro di noi, attraversa la nostra vita a partire dall'infanzia. La chiave di tutto è solo dentro di noi. Ciascuno è il migliore, ed è il più grande amico di se stesso. Oggi questa sensazione si è attenuata, e le persone sono confuse. Sono certa che, se tendiamo l'orecchio ad ascoltare la voce del nostro istinto, ritroveremo noi stessi. E una volta che si sarà verificato questo incontro, ognuno di noi con la sua grande forza illuminerà la vita di ogni giorno, e chi gli sta vicino.

# III

Tutte le cose di questo mondo
un giorno non ci saranno più,
e non importa quanta voglia avremo
di andare:
non si potrà più andare.
E allora in questa vita
voglio accumulare tantissimi ricordi.

*Con gli occhi aperti*

Ho la pressione bassa, e la sera non riesco ad addormentarmi presto, per cui il mio umore è tremendamente instabile.

Inoltre al mattino ho sempre la luna storta, tanto da non sembrare neanche la stessa persona. Semplicemente non riesco a esprimere niente, perché il mio corpo non è ancora sveglio, ma a chi mi vede dall'esterno devo apparire come una persona spaventosa.

Ho cercato di ricordare da quanto tempo è che va avanti così, e ho capito che è da quando ho iniziato a frequentare l'asilo. Proprio non sopportavo la vita di gruppo, e fino all'università alzarmi al mattino per me è stata una cosa deprimente. Alla fine, questa brutta sensazione è diventata un'abitudine.

Ma ormai sono un'adulta, e scelgo io stessa, in base alla vita che conduco, l'orario in cui alzarmi, quindi non ho alcun motivo di essere di malumore. E allora, mi sono spesso domandata, è possibile che ancora non riesca a togliermi questo brutto modo di fare?

Penso che in gran parte dipenda dal fatto che mi dimentico che mi sto alzando perché sono io che voglio alzarmi, e finisco per convincermi di essermi svegliata a causa del lavoro o per colpa di qualcuno.

Inoltre c'è anche il problema della frenesia della vita in una metropoli. Tōkyō, la città in cui vivo, è tremendamente stressante. Sono certa che quasi tutti aprono gli occhi con un po' di sconforto.

Se per strada si va a sbattere contro qualcuno, si viene spesso rimproverati energicamente. Chi rimprovera non è un signore dall'aspetto minaccioso, ma anche una ragazza, una signora di mezza età, una mamma con il passeggino. Qualche giorno fa ho preso un treno al volo dopo aver corso sotto la pioggia. Soltanto perché dal mio ombrello gocciolava dell'acqua, una signora che a prima vista sembrava gentile mi ha detto, con un tono di voce irritato, che con il mio ombrello creavo un disagio agli altri passeggeri. Tutti sono sempre nervosi, infastiditi da qualcosa.

Per questo sono molto felice di fronte a una gentilezza, a uno scambio di sorrisi, ma mi rendo conto che lo stesso gioire per cose come queste è dovuto a una profonda stanchezza. In fondo le persone non possono vivere le une senza le altre, e quindi è piuttosto la felicità scaturita dal contatto che si dovrebbe percepire come naturale.

Per fare in modo che Tōkyō diventi anche solo un poco più accogliente cerco, per quanto mi è possibile, di camminare lentamente.

A casa mia è arrivato un bebè.

Io non mi ricordo di quando ero così piccola, e quindi è un po' come se anch'io crescessi giorno dopo giorno insieme a lui.

Ciò che mi ha sorpreso di più non è stato né la forza con cui mi stringe il dito, né il numero delle volte che gli viene fame durante la notte, e nemmeno la sicurezza con cui, sebbene sia così piccolo, riesce a svolgere un'operazione tanto complicata come quella di succhiare il latte al seno. La cosa che mi ha letteralmente sbalordito è che quando al mattino si sveglia, il mio bambino come prima cosa ride.

Ogni mattina mi sveglio, e appena guardo il bambino che

dorme accanto a me, anche lui socchiude gli occhi. Poi vede il mio viso e sorride. Un sorriso nel primo volto incontrato al mattino è un benvenuto al giorno che inizia.

È meraviglioso. Ogni giorno mi emoziono e mi sorprendo per qualcosa che avevo dimenticato. Una volta, in un passato lontano che non è più nei miei ricordi, anche per me il mattino era l'inizio di qualcosa di bello, il ritorno in vita dopo una piccola morte.

## Un mondo nuovo

Cos'è che ho perso crescendo? È una cosa che mi domando spesso, vivendo con un bambino piccolo.

Mi torna sempre in mente un paesaggio. È un ricordo di Tōkyō, dove non nevica quasi mai, ricoperta dalla neve.

Il normale paesaggio di tutti i giorni in un sol colpo è avvolto da un manto bianco. I suoni sono ingoiati dalla neve e tutto è calmo. Così...

Un sabato sera, quando facevo la seconda elementare, ci fu una forte nevicata.

C'era così tanta neve che per l'eccitazione non riuscivo a prendere sonno.

Anche mia sorella, più grande di sette anni, si sentiva allo stesso modo. Io e lei, poco dopo le due di notte, siamo sgattaiolate fuori di casa, ovviamente di nascosto dai nostri genitori, e siamo partite per il nostro viaggio di esplorazione. La segretezza era fondamentale per accrescere l'intensità della nostra emozione.

Tōkyō era ancora tranquilla, e nel nostro mondo non esistevano rapimenti né molestie.

Ci siamo coperte all'inverosimile e abbiamo camminato fino a un parco molto lontano. Senza ombrello, imbottite con sciarpe e guanti, camminavamo come se niente fosse. Non c'erano auto né persone. Tutto riluceva di un bianco meraviglioso, come per un incantesimo. La neve cadeva lentamente e ci offuscava lo sguardo. Era come se dal cielo si riversassero petali di fiori.

Mentre tutto intorno nasceva a nuova vita, noi andavamo fino al parco e correvamo all'infinito in un mondo in cui nessuno seguiva le nostre orme.

Il naso ci gocciolava, non sentivamo più i piedi nelle scarpe, avevamo tutto il corpo bagnato, ma non ci stancavamo di guardare lo spettacolo meraviglioso dei rami bianchi degli alberi che si stendevano in modo irreale.

Infine arrivò l'aurora, e ancora adesso non posso scordare l'emozione che ho provato quando tutto si è tinto di viola. Poi ci è venuto sonno, la città si è messa in movimento e il sogno è finito. Ci siamo riscaldate mangiando del *gyūdon* da Yoshinoya e siamo ritornate dritte da dove eravamo venute. Poi abbiamo dormito. Come ghiri.

Quando mi sono svegliata, fuori dalla finestra era ancora tutto imbiancato dalla neve, e già dalla tarda mattinata le luci di casa erano accese. Ho scoperto di aver dormito molto più profondamente del solito. Effettivamente mi sembrava di essere rinata.

Un altro ricordo che ho della neve a Tōkyō è di quando il mio husky, nella sua breve vita, ha giocato per la prima e ultima volta nella neve.

Con un'espressione che sembrava voler dire "che roba è?", si fiondò in mezzo alla neve. Sicuramente dipendeva dal suo istinto di cane originario dei paesi freddi, ma si è subito ambientato e ha cominciato a divertirsi alla grande. Quella felicità mi aveva commosso. Dentro di me gli chiesi scusa per averlo allevato in un paese senza neve.

Il cane camminava senza fermarsi. Affondando le zampe con forza nella neve, velocemente. Poi di tanto in tanto si voltava e mi guardava, come per assicurarsi che gli stessi dietro.

In quegli occhi rotondi c'era tanto amore. Forse quando ci si sente pieni di vita anche l'amore diventa più intenso. Erano occhi che esprimevano gioia di vivere.

Se quella volta avessi evitato di portare il cane a passeggio per proteggerlo dal freddo, adesso non avrei quel bel ricordo.

È così. Chissà quante persone, quella sera, hanno chiuso le finestre e si sono addormentate all'istante, seccati dalla neve.

La magia tiene sempre la porta aperta. Davvero, sempre. Trovarla dipende solo da noi.

## Voglia di ritornare

Nelle sere d'inverno, quando l'aria d'improvviso prende il profumo delle foglie secche bruciate, e le finestre delle case cominciano a illuminarsi e a fluttuare, quadrate, nella semioscurità azzurrina, in quel momento mi sembra sempre che tutti siano a metà di una strada, di ritorno verso qualcosa. Certo, ognuno di noi è sempre di ritorno verso qualche luogo, indipendentemente dalle stagioni, ma in inverno in particolare mi sembra che sia così.

Per il mio bambino è arrivato il momento di andare all'asilo, e in vista di ciò ho iniziato a passare in rassegna, durante le mie passeggiate, le strutture per l'infanzia che si trovano nei dintorni della casa in cui ci siamo trasferiti. Poiché si tratta ancora di visite superficiali, non presto troppa attenzione alle cose che vedo. Alcune di queste strutture sono molto affollate, in grandi quartieri, mentre altre sono più riservate, e si trovano all'interno di istituti medi e superiori. Sono tante, tutte diverse, certe in palazzi sfavillanti, altre in case indipendenti nelle quali i bambini sono tenuti proprio come in un'abitazione privata.

Un giorno che avevo del tempo a disposizione, ho pensato di andarne a vedere un paio mentre ero fuori a fare compere, e così nel pomeriggio ho visitato due strutture.

Uno era l'asilo affiliato a un istituto di studi medi e superiori di buon livello. Bambini beneducati, con l'uniforme indosso, tornavano da scuola insieme alle loro belle mamme. Gli insegnanti erano tranquilli e cordiali, e anche il conducente del pullman scolastico sembrava gentile. Invece di fronte al modo sgarbato con cui le signore dell'accettazione accanto all'ingresso mi indicavano la direzione – "È là l'asilo" –, mi è venuta una strana preoccupazione per gli anni a venire, provavo ansia all'idea di far frequentare a mio figlio, oltre che l'asilo, anche le medie in quella scuola, con quelle persone che lavoravano in maniera così apertamente svogliata. Anche se non penso che quando arriverà il momento loro ci saranno ancora.

L'asilo in cui sono andata dopo si trovava in un tempio molto tranquillo immerso nel verde, ed era proprio l'ora in cui le mamme, quelle che non avevano potuto andarli a prendere prima, ritrovavano i loro bambini. Il piccolo giardino era molto scuro, e le sagome degli alberi fitte quasi da far paura. Le luci dell'asilo, però, brillavano vivacemente, e i bambini sorridenti aspettavano di ricevere un timbro che doveva indicare che le loro mamme erano andate a prenderli.

Anche gli insegnanti sorridevano, e mi spiegavano senza tradire il minimo fastidio tutto quello che c'era da sapere sugli orari e sui contatti.

Quando ho ringraziato e ho fatto per andarmene, mi sono resa conto che non ero una mamma, ma mi ero trasformata in una bambina piccola io stessa. Lo sguardo gentile delle maestre, la tenerezza dei bambini felici di ritornare a casa, la vista dell'interno della stanza che spiccava nel buio mi avevano fatto sentire di nuovo bambina.

E ho pensato che avevo voglia di ritornare dove avevo frequentato l'asilo. Non esattamente all'asilo, che non mi piaceva, ma in quella stradina che percorrevo insieme a mio padre e alla mia vicina Kii, che venivano a prendermi. Stretta alla mano di mio padre, voglio tornare in quella casa dove adesso vive qualcun altro.

È una piccola felicità sapere che riesco a provare commozione e nostalgia nei confronti delle cose belle che da bambina non avevo capito.

E sarei felicissima se un giorno anche il mio bambino penserà a me con un po' di questa nostalgia.


## Jojoba

Quando ho tempo, cerco sempre di leggere libri dal contenuto difficile o testi complessi che in altri momenti non riuscirei a leggere.

Però dopo il parto non è stato così.

Ero esausta e non riuscivo a pensare, e inoltre provavo ansia ogni volta che prendevo in braccio quel bambino così fragile e morbido, per cui non riuscivo proprio a leggere di omicidi e morte.

E quindi ho letto per tutto il tempo i libri di cucina di Hiramatsu Yōko.*

Affaticata dal parto, per un po' non sono riuscita a camminare. Per questo, trovavo molto divertente immaginare di preparare i piatti deliziosi presentati in quei libri, osservare Hiramatsu alle prese con l'educazione dei figli o pensare a come mettere in ordine la casa.

Ma al di là del parto, a me piace sempre sfogliare libri di cucina quando la mia mente è stanca.

Penso che la cucina sia agli antipodi della scrittura. Non c'è niente di tanto realistico quanto il preparare cose da man-

---

* Giornalista e scrittrice di libri di gastronomia e alimentazione. [N.d.T.]

giare. Non c'è niente di più distante dalla vita delle persone che lo scrivere romanzi. Per questo fanno bene al cuore.

Mi basta immaginare la verdura di stagione mentre osservo le illustrazioni di ricette vegetariane, oppure il clima, la vita e le spezie usate dalle persone dei diversi paesi quando ne vedo i piatti tipici per sentire la terra sotto i piedi.

Mio padre fa il critico letterario, un lavoro intellettuale ed estremamente complesso, ma a fine giornata la cosa che desidera di più è vedere quelle serie tv che hanno come soggetto investigatori o poliziotti.

Spesso gli rivolgono questa domanda:

"Fai già un lavoro per il quale devi usare la testa, ti occupi dell'analisi di storie complicate, ma perché ti piacciono quelle serie tv?".

Ma credo di capire.

Le serie tv per mio padre sono come i libri di cucina per me.

È il desiderio di guardare tranquillamente il lavoro di professionisti del mondo in assoluto più lontano dal proprio.

Chi scrive libri di cucina o gira serie tv, probabilmente immagina che i propri lettori, i propri telespettatori, siano normali casalinghe, impiegate, dipendenti di aziende di mezza età. Non immaginano neanche che il loro lavoro sia di così grande aiuto per categorie di persone in un certo senso fuori dal comune.

Sarà una delle stranezze del mondo, una sorta di aiuto reciproco. Di qualsiasi cosa si tratti, credo che sia il segreto che fa girare la terra nel verso giusto.

Nel giardino del banco dei pegni vicino casa c'è un grande albero di jojoba.

D'inverno i suoi frutti cadono a terra, tutt'intorno si diffonde un profumo dolciastro e la strada si sporca di rosso.

Ciononostante, la gente del quartiere ama segretamente quest'albero.

Quando i frutti della jojoba cadono, sono in molti ad alzare lo sguardo sorridenti, pensando "siamo già in questa stagione".

Penso che il proprietario del banco dei pegni non sappia neanche che i frutti di cui il suo albero è carico fanno bene al cuore degli abitanti del quartiere. A giudicare dalla cura che mette nel ripulire, si direbbe pensi siano un fastidio.

Però, anche se nessuno dice niente, quell'albero di jojoba è di grande conforto per la gente.

Di cose così ce ne sono tante. Cose che aiutano le persone, che le avvicinano, anche se non si vedono.

L'abitudine di buttare via qualcosa che con una sola occhiata si giudica inutile è troppo diffusa. Vorrei che il mondo fosse pronto ad accogliere tutto ciò che passa di mano in mano e unisce le persone.


## Più che il primo amore

Il mio primo amore è durato poco, ma è stato meraviglioso. Sarebbe stato perfetto per uno *shōjo manga*.

Forse perché si trattava di un ragazzo molto buono. Era intelligente, elegante e gentile. Certo, nei miei confronti era gentile perché gli piacevo, ma io che gli volevo bene e lo osservavo da vicino sapevo che lo era con tutti, era il suo modo di fare. Ancora adesso, quando mi torna in mente quel suo carattere accomodante, mi dico con un pizzico di commozione che era davvero un bravo ragazzo.

È finita quando, alla scuola media, sono stata scaricata in modo plateale, poi all'università, chissà come, una volta ci siamo baciati (deve essere stato un regalo degli dèi... ci siamo ritrovati da soli come per magia, in un contesto assurdo), e poi ci siamo incontrati durante una rimpatriata, e quella è stata l'ultima volta. Adesso non so nemmeno dove abita, ma poiché aveva detto che si sarebbe trasferito a Saitama, immagino che sia felicemente sposato. Gli auguro dal profondo del cuore che sia così.

Ma sei anni di adolescenza non sono forse uguali, in intensità, a dieci di adesso? Per tutto quel tempo non si è preso gioco dei miei sentimenti neanche una volta. Questo dimostra che era una persona non solo bella, ma anche molto buona.

Ero una ragazzina... ed era il Giappone Shōwa.* Per quanto tutti noi ci credessimo adulti, uscire insieme era fuori discussione, e tutto si riduceva alla sottile consapevolezza di piacersi.

Eppure mi sentivo stretta ogni giorno nel tenero abbraccio della felicità, come mai nessun amore dopo di quello è riuscito a farmi sentire. Godevo appieno di tutto quello che c'è di buono nell'amore platonico.

Quando siamo andati in gita scolastica a Kashiwa, durante la notte volevamo incontrarci a ogni costo, ma non dovevamo darlo a vedere, e così, dileguandoci dalle rispettive stanze dei ragazzi e delle ragazze, abbiamo partecipato a una bizzarra iniziativa che fondamentalmente consisteva in nulla di più che starsene a chiacchierare tutti insieme nel corridoio.

Facevamo un gran tenerezza all'epoca, non come adesso. Ce ne stavamo semplicemente in piedi, e tra noi c'era una specie di strana distanza. Eravamo tutti e due in pigiama, e a un certo punto ci siamo trovati uno di fronte all'altra a ridere e parlare tra di noi. Non mi ricordo quale fosse l'argomento della conversazione. Si vede che eravamo così felici di essere insieme che non ci importava niente di quello che dicevamo.

Mi ricordo solo che il suo sorriso era dolce e come circondato da una luce pura, che sembrava illuminare quel corridoio buio.

---

* Il termine Shōwa indica gli anni di regno dell'imperatore Hiroito, dal 25 dicembre 1926 al 7 gennaio 1989. [N.d.T.]

Anche quando gli altri si sono stancati e sono andati a dormire, noi non avevamo ancora esaurito la nostra energia. Siamo stati per ore uno di fronte all'altra, con tutti noi stessi, senza neanche stringerci le mani. La "buonanotte" che ci siamo scambiati alla fine è stata più dolce di qualsiasi altra "buonanotte" della mia vita.

E pensare che a Kashiwa adesso si va in metropolitana. Ma a noi, allora, per il solo fatto di essere lontani dalla vita di tutti i giorni e di poter dormire sotto lo stesso tetto, sembrava un luogo distante quanto l'Europa o l'America.

Sicuramente avrà avuto altre storie, e non saranno mancate le brutte esperienze.

Però nel mio cuore lui resta quella figura che non si stancava mai di starmi di fronte.

Dopo la scuola, anche se faceva molto freddo, prendeva la mia bicicletta e la portava su per le scale al posto mio, dicendo che era troppo pesante per me, e una volta che nell'aula di cucina aveva rotto un contenitore e si era ferito, perdendo sangue, si era messo a piangere e io ero riuscita a dirgli soltanto di correre in infermeria. Mi restano solo questi ricordi di come eravamo teneri.

Sono felice che sia così.


All'epoca del mio primo amore, avevo una cara amica di nome Sakuma.

Avevamo l'abitudine di rivolgerci l'una all'altra con soprannomi misteriosi che avevamo preso dai fumetti.

Ci chiamavamo Kazu-san e Kazuto-san, e firmavamo così persino i compiti in classe. È incredibile che la maestra ci lasciasse fare questa cosa così strana. Dovevano essere tempi di grande tolleranza, se penso che i compiti che firmavamo con quei nomi ci ritornavano poi come se nulla fosse.

Ancora adesso mi emoziono, quando ricordo la voce bassa con cui mi chiamava "Kazu-san". Lei è stata la prima e ultima persona a chiamarmi così.

Confessai soltanto a lei il mio primo amore. Restavamo spesso a dormire a casa dell'una o dell'altra, e non facevamo che parlare delle disavventure del primo amore. Una volta mi disse:

"Me lo immagino spesso che in piena notte scappa da casa e arriva all'improvviso. Sarebbe bellissimo!".

Più che l'ingenuità di quella fantasia, fu la tenerezza del suo animo a emozionarmi.

Ascoltavamo in continuazione la canzone *Ame no machi wo* di Yuming. Prese come eravamo dal primo amore, pensavamo che con la forza dei sentimenti saremmo potute andare ovunque, lontano, anche sotto la pioggia, in qualsiasi città. Adesso è come se avessi tenuto quei sentimenti con me, al sicuro, senza abbandonarli da nessuna parte, sentimenti che non riuscirei a descrivere in nessun altro modo.

All'alba di un giorno di san Valentino, io e Sakuma siamo uscite di casa in segreto per incontrarci. Siamo andate a infilare del cioccolato nelle buche delle lettere dei ragazzi che ci piacevano.

Abbiamo camminato a lungo nell'alba nuvolosa della città, e siamo andate fino alle loro case. Oggi ripenso con nostalgia al profilo deciso di Sakuma, e all'importanza che attribuiva al suo primo amore.

Siccome io mi vergognavo, Sakuma mi diceva: "Non preoccuparti! Non ci hai mica scritto il nome sopra!" e mi accompagnava fino alla buca delle lettere di casa sua.

Quel cioccolato era uguale a quello che lui mi aveva regalato durante una gita, era come un segnale segreto tra noi due, e quindi anche se non c'era scritto il nome lui avrebbe capito benissimo.

E il mio primo amore, il giorno dopo, con un gran sorriso stampato sulla faccia, tutto rosso, venne a dirmi:

"Senti, ma... tu, no!?, non è che per caso...".

E io gli domandai: "Per caso che cosa?".

E rispose: "Va bene, come non detto".

Il mio primo amore raggiunse così il picco, e poco dopo finì.

Se avessimo osato un po' di più, se fossimo stati un po' più curiosi... magari avremmo avuto qualcosa di più bello? Adesso che sono molto più esperta me lo domando spesso, ma forse è stato bello proprio perché è stato così.

E adesso sto crescendo un bambino.

Poiché lavoro molto, succede che lo lasci giocare da solo mentre scrivo. Dopo un po' che siamo immersi nelle rispettive attività, iniziamo a sentire che ci manca qualcosa. Poco alla volta è come se accumulassimo quella mancanza.

Se lasciassi passare anche solo un po' di tempo, sono certa che il bambino inizierebbe a piangere, ma non riesco mai a resistere, e vado a prenderlo in braccio. Solitamente questi nostri tempi combaciano.

Al bambino non piace molto essere preso in braccio da me.

Piuttosto sembra che gli piaccia alzarsi sulle gambe e strofinare la testa sul mio petto. Poi appoggiamo le pance una all'altra, e restiamo per un po' a guardarci fisso. Io chiamo questa cosa la "carica".

È bello che le nostre batterie si scarichino nello stesso momento.

Giorni fa, mentre eravamo in "carica", mi è sembrato di ricordare una cosa importante. Qualcosa che dormiva in un angolo della memoria...

E poi mi sono ricordata.

Io e la mia amica Sakuma facevamo sempre i compiti insieme in camera sua, e approfittavamo del fatto che fossimo sole in casa per bere e mangiare quello che volevamo. All'epoca andava di moda il caffè freddo zuccherato, con il latte, e noi lo preparavamo sempre riempiendo di ghiaccio grandi bicchieri.

"Da qui si vede la casa del ragazzo che ti piace, Kazu-san."

Disse Sakuma, con il suo caffè freddo tra le mani.

"È vero!"

Dissi io.

Fuori dalla finestra, si vedeva il palazzo in cui abitava il ragazzo che mi piaceva. Si vedeva anche la sua stanza, al quarto piano. Persa nel cielo grigio e nuvoloso, era una vista dolce, vicina e lontana.

È buffo... A ripensarci adesso, il primo amore è stato certamente bello, ma i ricordi con Sakuma lo sono ancora di più.

A causa del lavoro instabile di suo padre, Sakuma cambiava casa in continuazione. È riuscita a evitare il trasferimento scolastico, ma già poco dopo quell'episodio ha dovuto lasciare la casa con la stanza da cui si vedeva la casa del ragazzo che mi piaceva.

Un giorno mi disse che avrebbe traslocato a breve, e chiese a me, che ero più alta, di staccare dal muro vicino al soffitto un pezzo di una specie di cartone arancione.

"Perché? È tutto sporco."

Le dissi.

"Non riesco a buttarlo, perché lo vedevo ogni sera dal mio letto, e questa casa mi piaceva."

Rispose. Sentii una stretta al cuore.

Ancora adesso mi ricordo di fronte a me, oltre una pioggerellina fitta come rugiada, la finestra di quel ragazzo che mi piaceva tanto... e poi l'espressione triste di Sakuma. Avevamo l'età in cui si deve vivere in base alle necessità dei genitori. Lei non voleva trasferirsi. Ma si è tenuta dentro i suoi sentimenti.

È così. Ciò che mi sono ricordata mentre ero in "carica", non è il primo amore. È Sakuma.

Mi è tornato in mente all'improvviso che io e Sakuma a

volte, sia in casa che fuori, ci abbracciavamo forte, senza motivo. Forte, come quando ci si stringe la mano. E poi, come se niente fosse, tornavamo ai nostri *manga*. Non eravamo né lesbiche né tristi. Semplicemente ci volevamo un gran bene, e quegli abbracci ci facevano sentire serene.

Nella città in cui si trasferì c'era un grande lago, e la prima volta che sono andata a trovarla il cielo era coperto e piccole gocce di pioggia battevano sulla superficie dell'acqua. In lontananza si intravedevano le sagome di alberi spogli.

Con indosso due pigiami uguali, ci dicevamo che lì era triste, e intanto leggevamo *manga* e parlavamo, fino a quando sua madre non venne a sgridarci perché andassimo a dormire. Vicino al soffitto c'era attaccato quel pezzo di carta. Ma ormai la sua casa non era più a una distanza tale da potersi raggiungere ogni giorno, e anche la fine della scuola si avvicinava. Non volevo che la nostra amicizia cambiasse.

E così mi è rimasto un ricordo insostituibile.

Mi è tornato in mente all'improvviso quell'abbraccio senza malizia e senza desiderio, mentre stringevo forte il mio bambino e ci caricavamo. Un abbraccio commovente, intimo, tenero... La mia testa forse aveva dimenticato quel contatto, molto più importante del primo amore, ma il mio corpo se ne era ricordato.

## Le tartarughe e io

Da circa dieci anni tengo delle tartarughe.

La mia prima testuggine africana è diventata così grande che non potevo più tenerla nel mio appartamento in affitto, e così l'ho data in affidamento a un veterinario di mia conoscenza.

In realtà avrebbe dovuto impiegare dieci anni a diventare così grande, e invece in tre soltanto è arrivata a dieci chili, forse per l'esposizione al sole, o forse perché mangiava e si muoveva molto. Non penso proprio che al negozio di animali mi abbiano detto una bugia, tanto più che qualche tempo fa sono andata a casa di Sakura Momoko e ho visto la sua testuggine di cinque anni che non era così grande. Evidentemente dipende dall'ambiente e dalle caratteristiche genetiche della tartaruga.

Quando l'ho lasciata era così grossa che ormai non entrava neanche più nel lavatoio. Avete presente quella shopper enorme di L.L. Bean? Ci stava appena dentro.

Poiché non c'era modo di farla entrare nel lavatoio, potevo lavarla soltanto nella vasca da bagno, con la doccia che usano gli esseri umani. Facevo una gran fatica per sollevarla, e ogni giorno impiegavo mezz'ora per lavarla.

Inoltre aveva iniziato a danneggiare le pareti dell'appartamento che avevo in affitto, e ogni mattina sentivo scrosciare un secchio di pipì – non sapeva usare il bagno – che poi poco alla volta penetrava nella stanza sottostante. Per questo, a malincuore, ho dovuto rinunciare a tenerla.

Lo dico per il buon nome delle tartarughe (?), ma il fatto che non sappiano usare il bagno non è dovuto a una scarsa intelligenza. Vivendo nel deserto, nel loro DNA è scritto che disseminare i propri bisogni dappertutto ha un senso. Le tartarughe disperdono i semi delle erbe e dei frutti che hanno mangiato in modo che questi germoglino altrove, contribuendo così alla sopravvivenza dell'oasi. Per questo ad avere torto è chi le tiene in un appartamento di Tōkyō.

La tartaruga camminava liberamente per casa, qualche volta ha morso la coda al cane, ma di solito se ne stava tranquilla, la sera tornava al suo posto – accanto alla lettiera, vicino al lavabo – e si addormentava. Se le veniva fame aspettava allungando il collo (allungava letteralmente il collo all'indietro verso di me) davanti al vano delle verdure del frigorifero. Tutto questo mi faceva una gran tenerezza. L'ultima sera ho pianto a singhiozzi aggrappata alla sua corazza.

Dicono che le tartarughe non riconoscano il loro padrone, ma che distinguano i suoni. Lo studio veterinario a cui l'ho affidata si trova vicino alla casa dei miei genitori, e mia sorella dice che quando va a trovarla e le parla la tartaruga si volta immediatamente nella sua direzione. Deve essere perché la voce di mia sorella somiglia molto alla mia. È una cosa che mi fa piacere, anche se dovesse ricordarsi di me come della persona che le dava da mangiare, e non con affetto.

In seguito mi sentivo tremendamente sola, e così ho adottato due tartarughe che non superano i trenta centimetri: una testuggine indiana e una di Horsfield.

Non sono favorevole ad allevare animali portati appositamente in Giappone dal deserto in condizioni ambientali a loro inappropriate.

Se mi chiedeste, dunque, perché ne allevo, non saprei cosa rispondere. Fondamentalmente le allevo perché mi va, questo è certo, ma la sola cosa che posso dire è che con il tempo tra noi è nato un legame. Allevare una tartaruga di terra richiede un grosso impegno, e c'è bisogno di conoscenze e di strutture adeguate. Una volta che si è ottenuto questo, a vedere le piccole tartarughe in vendita nei centri commerciali ci si domanda se le proprie conoscenze non possano, in fondo, aiutarle a vivere meglio la loro vita. Credo che nel mio caso il profondo desiderio di allevarne sia nato dal ricordo di quando, alle medie, ho comprato e fatto morire una piccola tartaruga di terra, mancando sia dei mezzi economici sia delle informazioni appropriate.

Una volta che quelle che ho non ci saranno più, penso proprio che non ne prenderò altre. Però, se dovessero vivere a lungo, allora sarò io ad andarmene per prima, e spero che se la sappiano cavare. In fin dei conti io non sto facendo altro che offrirgli un ambiente per crescere un po' meglio, mentre loro, con la loro sola presenza, mi danno tanto.

Per me vivere con loro è esattamente come per quelle persone che allevano pesci tropicali. Mi rilassa guardarle. Mi dà piacere osservare le mie tartarughe che si grattano il muso, sbadigliano, camminano, mangiano con indifferenza, e vedere crescere poco a poco la loro corazza.

Si potrebbe dire che sono una forma di vita a metà tra le piante e gli animali, e mentre di giorno sono pimpanti, mangiano la verdura, si bagnano nell'acqua, passeggiano e si riscaldano al sole, di pomeriggio e di sera dormono quasi sempre. In qualsiasi momento le si guardi, dormono. Devono per forza vivere a lungo. Le loro attività si concentrano nelle ore di luce. Però loro non pensano di stare sprecando tempo. Quando osservo lo scorrere lento del tempo delle tartarughe, ho come l'impressione che quella specie di orologio che è dentro di me si rimetta a posto.

Somiglia un po' a quello che si prova stando a guardare le piante che si allungano giorno dopo giorno.

La vita con le tartarughe, con il passare degli anni, è più o meno sempre uguale.

Cambiare la carta, pulire la casetta, lavarle, dar loro la verdura dopo averla sciacquata (gli spinaci non vanno bene, la cosa migliore è un misto di *komatsuna* ed erbe selvatiche, come il trifoglio o il dente di leone. A volte è bene fornire loro un'alimentazione bilanciata aggiungendo a un pasto proteico vitamine e calcio), controllare l'impianto di riscaldamento, accendere la lampada che sostituisce l'illuminazione solare... la sera poi si spengono le luci. È un ripetersi di tutte queste azioni.

Però per le tartarughe è importantissimo.

Le tartarughe sono estremamente sensibili ai cambiamenti ambientali. La testuggine grande di cui parlavo prima passò in rassegna i mobili di casa quando ne cambiai la disposizione, e girandoci intorno più di una volta cercò di memorizzarne la collocazione. Quando ad esempio arrivava una sedia nuova, veniva sempre a vederla. Era come se in testa avesse la planimetria del mio appartamento.

Le due che presi dopo, non pensavo che fossero così sensibili, avendole cresciute in una scatola, e invece mi sbagliavo. Per non farle muovere troppo, quando traslocai le tenni fino alla fine dentro alla scatola nella loro vecchia stanza. Le trasportai a mano, come ultima cosa, e cercai di ricreare un ambiente il più possibile simile a quello di prima, con la stessa esposizione al sole, eppure per qualche tempo non mangiarono niente.

Dal punto di vista delle tartarughe, la scatola era sempre la stessa e anche la disposizione dei vasi della stanza. Malgrado ciò, avvertivano perfettamente il cambiamento occorso nell'ambiente circostante.

Fu un'ulteriore conferma della loro sensibilità.

Una vita sempre uguale, giorno dopo giorno... quando mi sono resa conto che era questo che stavo dando loro, che così potevano continuare a vivere, ho capito che dovevo averne sempre più cura.


Quando si tiene in casa una tartaruga di terra, si finisce per provare affetto anche per le altre specie di tartarughe. Anche questo somiglia un po' a quello che succede con le piante. Quando si sente la parola "tartaruga" si pensa a un unico grande essere vivente. Nel caso del cane o del gatto le differenze individuali sono più evidenti, e ci si rapporta a loro in modo differente, mentre le tartarughe si diversificano in modo sottile, e se ne parla sempre come di un'unica specie.

Una volta in Sicilia stavo attraversando una strada lungo la quale fiorivano piante di rosmarino, e a sentire il profumo intenso di quei fiori mi è venuto in mente il minuscolo rosmarino che c'era sulla terrazza di casa mia. Quelli crescevano in cespugli che sprigionavano un odore denso, così forte da avvolgere tutta l'aria intorno. Per il semplice fatto che nella mia casa in Giappone ci fosse una piccola pianta di rosmarino, mi sentii stranamente legata a quelle che vivevano lì, e provai una sensazione di familiarità più profonda che per tutte le altre piante.

Ho sentito esattamente la stessa cosa quando alle Hawaii ho visto una tartaruga marina.

Davanti all'albergo si era formata una piccola insenatura, e lì dentro l'acqua di mare nuotava una tartaruga. A volte allungava la testa fuori dall'acqua per prendere aria, e quando ho provato ad avvicinarmi per capire cosa fosse, è spuntata una grande corazza.

Anche se le andavo vicino, la tartaruga non scappava, e così per un po' mi sono divertita a nuotarci insieme. Al posto delle zampe anteriori aveva delle pinne, e la forma della corazza era completamente diversa, però gli occhi rotondi e i movimenti lenti mi erano familiari quanto quelli delle tartarughe che ho a casa. Era come se fossimo insieme da tanto tempo.

Io e mia sorella ci dicevamo:

"Come mai qui ce n'è una soltanto?".

"Forse è di qualcuno."

"Sì, ma una sola? Non è strano?"

"Forse si è infilata per errore in questa insenatura."

Abbiamo provato insieme a portarla verso il mare aperto, trascinandola per la corazza, ma siamo state rimproverate dal mio editor, che era insieme a noi.

Quando l'abbiamo presa per la corazza ha cercato in tutti i modi di divincolarsi, con una forza enorme. Nell'acqua riuscivamo a portarla, ma in superficie probabilmente il suo peso non sarebbe stato inferiore ai trenta chili. Effettivamente era un'impresa difficile, ma io e mia sorella ci credevamo. Eravamo certe che in due, in qualche modo, saremmo riuscite a trasportarla per quelle poche decine di metri che ci separavano dal mare aperto.

Più tardi, quando passeggiando mestamente nel giardino dell'albergo ci ripetevamo che sarebbe stato meglio riportarla in mare, io e mia sorella ci siamo rese conto che quella che all'inizio ci era sembrata una piccola insenatura che finiva lì, in realtà si allungava a dismisura per tutto il territorio dell'albergo, come un canale, e spostandoci in un altro posto abbiamo visto quattro tartarughe che masticavano alghe, ricevevano cibo e nuotavano tranquille. Quella di prima evidentemente era una delle tartarughe allevate dall'albergo, solo che si era allontanata un po'. Non l'avevamo capito.

"Eh? È dell'albergo!"

Nell'imbarazzo, io e mia sorella abbiamo iniziato a ridere a crepapelle, all'idea che per un pelo non avevamo mandato in mare una tartaruga dell'albergo, pensando che si fosse persa.

Lì all'albergo avevano ogni giorno da mangiare, l'insenatura era più ampia di quanto sembrasse a prima vista, non c'erano pericoli dall'esterno, e dal punto di vista delle tartarughe doveva essere sicuramente la condizione ideale, ma in fondo non si sa mai. Magari quelle tartarughe marine avrebbero preferito tornare in mare aperto, piuttosto che rimanere al sicuro in quell'insenatura.

Io e mia sorella pensiamo sempre che, trasportate dalla tartaruga che abbiamo salvato, siamo andate a finire nel Palazzo del dio-drago.*

## Il grido della vita

Sono estremamente sensibile sia dal punto di vista emotivo che fisico, e non appena incontro una persona sgradevole o sono in un posto che non mi piace molto, mi sento subito

---

* Qui si fa riferimento a una storia del folklore giapponese, quella del pescatore Urashima Tarō, il quale, come ricompensa per aver portato in salvo una tartaruga, ottiene di poter visitare il palazzo del dio-drago in fondo al mare. Dopo avervi trascorso qualche giorno, riceve dalla figlia del dio una scatola dal contenuto misterioso che, su richiesta della giovane, promette di non aprire mai. Tornato sulla terra, scopre che sono passati trecento anni dalla sua partenza e, in preda all'inquietudine, apre la scatola, ritrovandosi tutt'a un tratto molto vecchio. Dal mare ode il lamento della figlia del dio-drago, che gli rivela che nella scatola era contenuta la sua vecchiaia. [N.d.T.]

male. Ormai ho una certa età e ho fatto in modo di diventare un po' più distaccata, ma nel lavoro questi sensori percettivi sono imprescindibili, e quindi la mia sensibilità è diventata sempre più intensa. È un bel problema.

Quando un amico, pensando di fare una cosa buona, mi porta da qualche parte o mi consiglia vivamente di leggere un libro, non riesco neanche a simulare un sorriso se queste cose mi procurano una sensazione sgradevole. In passato, il maestro Kageyama Tamio,* che adesso non c'è più, mi inviò diversi testi del gruppo religioso a cui apparteneva, con una lettera che diceva: "Ti faranno aprire gli occhi, sono libri incredibili, prova a leggerli". Con in testa il sorriso radioso del maestro Kageyama, presi quei libri senza nessun pregiudizio, decisa a leggerli, ma fu come se i miei occhi non volessero guardarli, né le mie mani tenerli. Alla fine li ho rivenduti a una libreria dell'usato. Evidentemente non erano adatti a me.

Mi dispiace dirlo, ma è deformazione professionale, non posso farci niente. Se continuo a mentire dicendo che una cosa mi è piaciuta, i sensori vanno in tilt. Proprio non mi riesce.

Essendo così sensibile, quando sono rimasta incinta – quando il mio bambino non era che una cellula, quando ancora non c'era altro che la membrana protettiva – sono stata colpita da tremende nausee mattutine.

Quando sono andata in ospedale, i medici si sono addirittura sorpresi del fatto che mi fossi accorta della gravidanza.

Per certi versi è una gran seccatura.

Nel primo periodo le nausee erano terribili, avevo sempre la febbre e dovevo stare a letto con la borsa del ghiaccio in testa. Poi, all'improvviso, stavo così male che mi toglievo una maglia e dormivo così (freddolosa come sono, una cosa come

---

* Romanziere e saggista, negli ultimi anni della sua vita entrò a far parte del movimento religioso *Kōfuku no Kagaku* (La scienza della felicità), la cui dottrina pone al centro il raggiungimento della felicità individuale e universale, da ottenersi attraverso pratiche di ispirazione sia buddhista sia laica. [N.d.T.]

quella non mi sarebbe mai capitata in condizioni normali), e la mia birra preferita mi sembrava avere un pessimo sapore.

Quest'ultima cosa per me equivale a un segnale che la mia salute è a rischio. Fino a oggi, poco prima di stare male la birra mi sembrava sempre cattiva.

La prima cosa a cui ho pensato è stato un tumore all'utero. Il massimo del pessimismo.

Però quello che sarebbe dovuto arrivare ha tardato di due o tre giorni (solo due o tre giorni!), e quindi, un po' per scherzo, mi sono detta che magari ero incinta.

All'epoca, a casa avevamo solo una vasca da bagno di quelle che non riscaldano l'acqua.

Nonostante ciò, era davvero enorme, e quindi per evitare sprechi (cioè non perché facessimo i piccioncini), ci entravamo sempre tutti insieme.

Per "tutti", intendo me, mio marito e il nostro cane Rabuko, che ora non c'è più. Rabuko veniva sempre insieme a noi, e anche se non amava stare immersa nella vasca, le piaceva moltissimo bagnarsi sotto il getto caldo e bere l'acqua. Anche quel giorno Rabuko stava giocando con l'acqua, e io dissi:

"Eppure non mi sento per niente bene, sarà meglio che vada in ospedale domani... dal ginecologo, forse".

Mio marito mi consigliò di farmi visitare il prima possibile. E così glielo dissi. Scherzando, ridendo a crepapelle.

"Certo però che sto proprio male. Se dovessi essere incinta spero proprio che non sia un ragazzaccio!".

In quello stesso istante ho sentito una fitta che partiva dalla parte più intima di me, giù in profondità, e non era né la pancia né il cuore.

Mi tolse il respiro. E poi non so cosa mi è successo, ma mi rivolsi a qualcosa nel mio cuore e mi scusai:

"Perdonami, era davvero uno scherzo di cattivo gusto".

E così per la prima volta pensai seriamente che forse c'era qualcosa nella mia pancia (di cosa si trattasse era ovvio); il giorno successivo comprai un test di gravidanza e lo feci. Come pensavo, ero incinta.

Quella fitta mi provocò un dolore che non ho mai più provato in vita mia.

L'unica sensazione che ci si avvicinava era quella che provai da piccola quando distrattamente schiacciai un formicaio, o quando calpestai un ranocchio. Il dolore che sentii quella volta che un uccello morì sbattendo contro la mia auto, o quando dimenticai di dare da mangiare alla tartaruga, indebolendola fatalmente.

Il fremito della vita è una cosa incredibile. Sentii che ospitarne una dentro di sé comportava una grande responsabilità.

Come era comprensibile, mio marito aveva continuato a lavarsi i capelli senza accorgersi di nulla, ma Rabuko aveva capito perfettamente cosa stava succedendo: questa cosa mi colpì.

Quando la fitta mi lasciò di sasso, e presi a scusarmi dentro di me, Rabuko alzò la testa e restò a fissarmi con un'espressione preoccupata. Forse gli animali riescono a cogliere l'istante in cui avviene qualcosa di strano. Si era accorta che una vita aveva gridato "sono qui!".

Anche il mio cactus, che non fa mai fiori nonostante il concime e le cure che gli dedico, ogni volta che sono giù di morale puntualmente germoglia. In quei momenti non mi prendo molta cura delle piante, e quindi è sempre una sorpresa quando, alzando gli occhi controvoglia, trovo un fiore.

Forse sente il grido del mio cuore. Per di più fiorisce completamente fuori stagione e, date anche le mie mancate attenzioni, subito dopo finisce per seccarsi, benché mi impegni a concimarlo a dovere.

Io provo a dire al cactus che cercherò di non deprimermi, così che possa fiorire solo quando ne ha voglia, ma evidentemente non sono abbastanza convincente. Fatto sta che ora come ora non ha neanche un bocciolo.

Non so mai come rispondere a manifestazioni d'affetto

come quella. Forse la sola cosa che io possa fare è cercare di tranquillizzarmi, e continuare a prendermene cura normalmente. Per una persona emotiva e instabile come me, questa è già una grande prova, ma per il mio cactus penso di potermi impegnare.

Comprendersi significa completarsi a vicenda, e ho capito che non si tratta di una prerogativa degli esseri umani.

Vicino a casa mia c'è una vecchietta che si prende cura di alcune piante in vaso, ma quando lei manca per periodi lunghi finiscono sempre per seccarsi, nonostante la figlia le annaffi regolarmente.

Quella vecchietta mi ha detto che se non si annaffia con amore è inutile, perché non ci si accorge dei cambiamenti delle singole piante. Effettivamente credo che sia proprio una questione pratica, come dice lei. Non si tratta di discorsi spirituali, del tipo "le piante parlano", ma della normalità. Quando mi occupo di lui meno del solito, il mio cactus fa fiori per ricordarmi della sua esistenza. La vecchietta si prende cura delle piante con amore, e loro grazie a lei vivono e fioriscono. C'è un legame, è chiaro, c'è uno scambio vitale.

Nella casa in cui abito adesso, il campanello del cancello esterno è rotto, ma farlo riparare è una seccatura. In caso di comunicazioni importanti, possono contattarmi per telefono. Per di più c'è un altro campanello accanto alla porta di ingresso che gli amici suonano dopo essere entrati dal garage, quindi non ho mai avuto nessun problema particolare.

Ma se si tratta di fattorini, allora ci sono i tipi più disparati.

C'è chi, dopo aver suonato e non aver sentito nulla, intuisce che è rotto e telefona, oppure chi entra e suona il campanello dell'ingresso, chi bussa, chi chiama a gran voce il mio nome...

Se le finestre sono aperte, oppure si sente della musica provenire dall'interno, la maggior parte delle persone capisce che in casa c'è qualcuno, e agisce seguendo quell'intuizione. Si tratta di intuito, appunto, e mi sembra una cosa del tutto normale.

Eppure alcuni di loro si limitano a suonare all'esterno e se ne vanno via subito, anche se si capisce perfettamente che dentro casa c'è qualcuno, e che il campanello non si è sentito. A volte me ne accorgo e mi affretto ad affacciarmi, ma a quel punto il furgone si è già allontanato.

Mi chiedo spesso perché si comportino così.

Capirei se fosse perché non hanno voglia di lavorare, ma loro sanno bene che, se io sono assente in quel momento, dovranno lasciare un avviso e ritornare un altro giorno, il che comporta del lavoro in più.

Invece si innervosiscono, si demoralizzano, nonostante abbiano delle alternative sistematicamente le ignorano, se ne vanno lamentandosi di aver suonato ma che il campanello era rotto. Poi ritornano qualche giorno dopo già sconfitti in partenza.

Cose del genere – non necessariamente questa – capitano in continuazione.

Ho l'impressione che tanta gente viva la propria vita partendo dal presupposto che gli altri sono assenti o sgarbati, mettendosi sempre nella posizione della vittima.

Queste persone provano invidia verso quelli che prendono l'iniziativa, che sorridenti bussano, senza porsi problemi, che telefonano e dicono: "Lo sapevo che era in casa! Le sto portando il suo pacco!" perché sanno di non esserne capaci.

Il ragazzo che mi portava la verdura era una persona così. Una volta uscii sorridente per andargli incontro, e lui iniziò a urlare che non avevo ripiegato correttamente il cartone da rendere, e alla fine scoppiò a piangere. Era una crisi isterica.

Io gli dissi in tutta onestà che, anche se avevo sbagliato, non mi sembrava poi di aver fatto una cosa tanto grave. Lui si allontanò continuando a urlare, e non lasciò passare molto tempo prima di licenziarsi. La simpatica ragazza che lo sostituì mi disse che si era licenziato perché aveva molti problemi, era psicologicamente instabile, e verso i clienti assumeva in continuazione comportamenti simili a quello che aveva avuto con me.

Lo avevo capito quando si era messo a piangere davanti ai miei occhi.

Questo ragazzo non piange né perché tiene ai cartoni, né perché ama così tanto il suo lavoro da voler correggere i clienti che sbagliano delle cose, anche piccole. È stanco. Gli sembra di non essere ripagato in alcun modo, nonostante ce la stia mettendo tutta. E non è me personalmente che rimprovera, ma tutti i clienti che non riconoscono i suoi meriti. È tutto il mondo che vorrebbe prendere a pugni.

E alla fine ho pensato:

"Ma sì, sono i genitori, è a loro che si rivolge. È l'atteggiamento di chi è stato maltrattato dai propri genitori".

Ma non l'ho detto.

Quando l'ho capito, il grido del cuore di queste persone mi è parso doloroso. Eppure con il mio modo di fare riesco a comunicare con la maggior parte delle persone che hanno una sensibilità normale, eccezion fatta per alcune particolarmente bizzarre. Bisogna sforzarsi di capire, pensai.


## La forza dei genitori

Da un po' di tempo, quando vado a casa dei miei genitori, nessuno bada a me.

Sono praticamente invisibile, e sia mio padre che mia madre vanno dritti dritti verso il bambino. Appena entro in casa, il loro sguardo si rivolge subito alle mie braccia. Se per caso il bambino non c'è, con la voce delusa mi domandano: "Eh? Ma dov'è?" e quando rispondo che "è ancora in macchina, adesso arriva!", si capisce perfettamente che con il cuore sono nell'ingresso di casa.

È davvero un peccato che mio padre e mia madre, ormai vecchi e malati, non possano più prendere in braccio il nipotino, portarlo a passeggio, andare insieme in vacanza. A volte penso che se lo avessi fatto quando erano un po' più giovani, saremmo potuti uscire tutti insieme, avremmo mangiato fuori e condiviso tante belle esperienze.

Però, fra tutte le cose che ho fatto, quella che i miei genitori hanno apprezzato di più è stato questo nipotino, e ho la sensazione che sia arrivato proprio adesso perché a loro, entrambi malati, stava venendo meno la voglia di vivere. Sono contenta di tutto cuore per aver fatto in tempo, mi sono salvata in corner!

Giorni fa, mia madre ha sbucciato una gran quantità di piselli al bambino, che glieli chiedeva. Dopo un po' si è stancato di mangiarne, e ha cominciato a darli a mio padre, che era accanto a lui. Si era saziato, e adesso costringeva qualcun altro a mangiarli, niente di più, però qualsiasi cosa faccia il nipotino è una dolcezza, e quindi mio padre ha continuato all'infinito a fare "Aaam" e a mangiare i piselli.

Tolto il bambino, sarebbe stata la bella scena di una coppia anziana, con mia madre che sbucciava i piselli e facendo "Aaam" li faceva mangiare a mio padre, però senza il bambino lì al centro non avrebbero mai fatto niente del genere. Era una scena che scaldava il cuore.

Come tutti, anche io sono cresciuta provando insoddisfazione per i miei genitori. Più le persone intorno a me mi dicevano che ero fortunata, più ero contrariata. In realtà per quasi tutto il tempo che ho vissuto a casa dei miei mia madre è stata malata, e anche mio padre si dedicava soltanto alle sue cure, per cui non penso di essere stata poi così fortunata.

Ma adesso posso dire con certezza di aver ricevuto dai miei genitori tante cose meravigliose. Sono stata amata moltissimo, anche se non sono stata viziata (a dire il vero, penso di essere stata sia amata che viziata), ma ho ricevuto tante cose fondamentali, di quelle stupende, indispensabili per andare avanti.

Diventata adulta, ho provato a domandarmi quale, tra le cose ricevute dai miei genitori, fosse la più bella.

Quando ero bambina, la mia famiglia era tutt'altro che ricca.

Ma quando mio padre andava a fare la spesa, se doveva comprare la carne per il *sukiyaki*, ad esempio, ne prendeva in grande quantità, e della più cara che c'era. Anche per la verdura, non prendeva le rimanenze, ma andava al mercato vicino casa e comprava solo quella che avremmo mangiato quel giorno, fresca. Stessa cosa per i contorni: sceglieva senza esitazione i migliori. E la frutta, anche se per quella di stagione il prezzo era più alto, lui prendeva sempre quella che sembrava più gustosa e matura.

Potevamo portare vestiti vecchi, avere il televisore rotto, ma quando invitavamo qualcuno a casa offrivamo pasti deliziosi. E anche quando non invitavamo nessuno, non rinunciavamo mai alla qualità di quello che mangiavamo nel tentativo di risparmiare.

Quando ero alle elementari, pensavo che sarebbe stato meglio fare economia. L'avrò detto mille volte che le cose che si mangiano spariscono nello stomaco, e che quindi fare economia sul cibo ha un senso.

Ma i miei genitori, pur non andando d'accordo su niente, su questo punto la pensavano allo stesso modo, e tutti e due mi rispondevano in maniera decisa.

"È vero che i problemi economici ci sono, ma se stringiamo la cinghia proprio su quello, e per vivere invece di mangiare cose buone mangiamo cose di seconda scelta, allora che senso ha vivere? Proprio perché è qualcosa che sparisce, bisogna averne rispetto."

Mia madre è una persona di poco appetito, non mangia

quasi niente, e per questo forse non dava tanta importanza alla cosa. Ciononostante la pensava anche lei così.

Quanto ciò fosse bello, l'ho capito solo da grande.

Anche se non si tratta necessariamente di cibi costosi, è importante mangiare tutti insieme cose buone. Se si è spilorci su quello, allora lo si è nei confronti della vita stessa... In seguito ho capito che è meraviglioso quando questo modo di pensare comincia a fare parte di noi. Grazie al gusto per il cibo, ho potuto fare amicizia con tante persone stupende e buongustaie, in ogni parte del mondo. Tutti loro fanno il possibile per condurre una vita felice, e in questo andiamo assolutamente d'accordo. Non riesco a stare per molto tempo con persone che lesinano sul cibo, o che mangiano di tutto, convinti che tanto una cosa vale l'altra. Non c'è bisogno di essere degli intenditori, o di spendere chissà quanto. L'importante è non risparmiare sul tempo, sullo spazio, sull'umore, è non preoccuparsi dei soldi, se si tratta di passare delle ore piacevoli. Questo è quello che di più bello ho ricevuto dai miei genitori, non ci sono dubbi.

Mia madre, che è sempre stata debole di costituzione, si occupava poco della casa, e io credo di aver fatto per lungo tempo paragoni con le altre mamme. Da bambina, ero invidiosa che i miei compagni avessero mamme che esistevano soltanto in funzione di loro. Erano sempre in attività, e sembrava che per loro la cura dei figli fosse un lavoro.

Probabilmente mi chiedevo perché invece mia madre non ci fosse solo ed esclusivamente per noi. Sapevo che mia madre era di salute cagionevole, ma avevo la vaga sensazione che, più che in funzione del suo ruolo di casalinga, lei considerasse la sua vita come un divertimento personale. Questa idea mi rendeva triste.

È stato dopo aver avuto il bambino che mi sono ricreduta completamente.

Nessuno può decidere che una donna, moglie e madre,

debba per forza occuparsi delle faccende domestiche, e poi ogni famiglia è diversa dall'altra. Per questo ho capito di essermi comportata male nei confronti di mia madre. La giovinezza, la libertà e la delicatezza di mia madre erano meravigliose al pari della forza fisica con cui le altre mamme si dedicavano ai lavori di casa. Nessun essere umano può pensare di avere entrambe le qualità.

Io mi occupo delle faccende domestiche, e inoltre ho il lavoro e l'educazione di mio figlio, ma alcuni giorni mi capita di farlo controvoglia. Allora mi rendo conto che in un momento tutti, intorno a me, diventano di malumore. La stessa cosa succede quando sono seccata perché sto facendo qualcosa per cui non mi sento portata. Da quando ho una famiglia, sono diventata molto rigida su questo punto. Ho un lavoro e un reddito. Il che significa che non sono una casalinga a tempo pieno. Ma se anche lo fossi, sarebbe necessario che mi spremessi le meningi per inventarmi qualcosa, così da non dover fare controvoglia le cose che non mi piacciono. Le faccende domestiche sono necessarie, e quindi c'è bisogno di organizzarsi in maniera tale da farle almeno in minima parte, o da dividere il lavoro.

Passare la vita a lamentarsi perché si deve fare qualcosa che non si ha voglia di fare, oppure farla per qualcuno, ma lamentarsi in continuazione, è sbagliato. L'ho imparato osservando il modo di vivere di mia madre.

Lei, che in altri tempi sarebbe stata una vera e propria dama, veniva da una famiglia in cui per qualsiasi cosa bastava dare ordini alla servitù, ma quando si è sposata con mio padre, che invece era povero, si è adeguata ai valori del marito, non ha assunto domestici, non si è concessa lussi e non si è mai lamentata. A pensarci bene, è stata ammirevole.

Perché ho impiegato così tanto tempo per capirlo? È spaventoso, ma è perché la società mi ha inculcato quel modo di pensare.

Senza che me ne accorgessi, l'immagine di come una

"mamma" dovesse essere si era fatta posto dentro di me in maniera sottile, con grande forza.

Ma con la mia, di forza, sono riuscita a riappropriarmi della mia famiglia. A quarant'anni ho finalmente conosciuto quella madre che è mia soltanto. Non distinguo ideologie di sorta al riguardo, per cui non so se sia colpa di una società maschilista o se qualcosa che tutte le mamme facevano istintivamente ha finito per assumere la forma di una consuetudine.

Ma, in realtà, per una "mamma" è fondamentale non farsi mai vedere insofferente o abbattuta, e rappresentare per il suo bambino qualcosa di straordinario e di unico, come il sole... Di questo mi sono resa conto. È davvero importante lavorare e avere cura dei figli, perché loro riescono a capire se in quei gesti c'è amore.

Può succedere che un uomo che è stato cresciuto controvoglia da sua madre finisca in qualche modo per sposare una donna che si prende cura di lui, magari anche non amandola più di tanto. Crescendo ho capito quanto questo processo sia pericoloso.

Un'altra cosa di cui ho preso coscienza è la fierezza dei miei genitori, che hanno portato avanti il loro matrimonio senza piegarsi mai. Hanno continuato a perseguire la libertà che desideravano a costo di essere esclusi dalla società, di procurarsi pene e dolori, di restare poveri, ma non hanno mai nascosto alle loro figlie contraddizioni e fallimenti.

Sono davvero contenta di avere capito tutto questo prima della morte dei miei genitori.

Sono sicura che ci sono molte persone che stanno insegnando ai propri figli cose diverse rispetto a quelle che i miei genitori hanno trasmesso a me, e di diversa bellezza. L'importante è che ciò che "io" ho ricevuto mi aiuti a vivere la "mia" vita.

I bambini sono sensibili all'atmosfera di un luogo molto più degli adulti, e penso che sappiano cogliere non tanto il contenuto delle parole dei genitori, quanto il tono della loro voce. Come quando si capisce l'inglese ma non si riesce a esprimersi; sono estremamente suscettibili riguardo al comunicare e all'esprimersi, e dei loro interlocutori capiscono più di quanto questi immaginino.

E proprio come quando un madrelingua pensa "questo qui non parla inglese, quindi non può capire cosa sto dicendo", gli adulti sottovalutano la sensibilità dei bambini.

Le cose che i genitori impongono ai bambini sono per la maggior parte soffocanti, quasi violente. Per questo motivo, la sola cosa che si può fare è provare a comunicare ponendosi in modo sincero e profondo.

Nel bene o nel male, tutto quello che noi, come coppia, possiamo fare, è pregare che il nostro comportamento un giorno fiorisca nel modo migliore in nostro figlio, o che anche lui pensi, come me adesso, che ha provato tanta insoddisfazione, ma proprio quella per la mia vita è stata indispensabile.

Per ogni tipo di genitore c'è una bellezza diversa, un dono destinato a ogni bambino, che non può essere paragonato a nessun altro. Penso che questa sia la cosa più meravigliosa di tutte.


## Istinto

Quando facciamo qualcosa per la prima volta, ci impegniamo con tutti noi stessi, senza mezze misure, e proprio per questo il nostro interesse è tutto incanalato lì. Ovviamente questo si capisce solo dopo, perché sul momento non si ha tempo per pensarci.

Poiché sono un tipo di persona che impiega moltissimo tempo a capire le cose, mi succede quasi sempre che le prime volte svaniscano senza che me ne renda conto. In quei momenti sono completamente assorta, e anche se vista da fuori posso sembrare normale, in realtà non capisco niente e cerco disperatamente di fare del mio meglio.

Quando poi va a finire male e dopo un annetto mi rendo conto di cosa è successo – "ma allora quella era una dichiarazione d'amore!?" –, nella maggior parte dei casi è troppo tardi.

Nonostante sia stato probabilmente il più bello in assoluto, quando mi chiedono se mi piacerebbe ritornare al periodo in cui il mio bambino era appena nato, rispondo che con quel momento spaventoso ho chiuso.

Non mi davo pace, perché sapevo che se non riuscivo a capire immediatamente i suoi comportamenti, potevo mettere a repentaglio la sua vita. Come se non bastasse, non potevo camminare, perché il parto mi aveva procurato un dolore al legamento interarticolare dell'anca sinistra. Per questo motivo non potevo neppure prendere in braccio il bambino ed ero spaventata, inquieta. Mi sforzavo più che potevo di scacciare la paura che le cose potessero mettersi male e cercavo di essere ottimista, ma ero lo stesso ben lontana dall'ottimismo.

Forse, se potessi tornare indietro, riuscirei a stare più tranquilla, ma in ogni caso tra la depressione seguita al parto, la stanchezza fisica e il peso della responsabilità, quel periodo non è stato affatto piacevole. È un peccato. Si tratta di un momento unico nella vita di una persona, ma lenta come sono è passato senza che me ne accorgessi.

Quando è il primo bambino, poi, si ha ancora meno elasticità, perché mentre la gente intorno è tutta sorridente, i diretti interessati sono stremati. Gli auguri non mi arrivavano al cuore, e mi sforzavo di rispondere a tutti con un sorriso.

Inoltre, ma è solo una mia opinione, la gravidanza, il parto e il periodo dell'allattamento non sono situazioni normali. Si usa il corpo al massimo delle sue facoltà, in uno stato mentale vicino a quello degli animali, e per questo non si è in grado di ragionare serenamente.

Il caso ha voluto che frequentassi una volta a settimana un luogo in cui si riunivano madri nel periodo dell'allattamento.

Quando le ho viste ho pensato: "Ecco, quindi non sono solo io a trovarmi in questa condizione".

Condividevamo il fatto che parlavamo ai nostri bambini come a un innamorato (che è un po' come dire che quando si parla con il proprio innamorato viene fuori l'istinto materno), il senso di timore che ci procurava il desiderio di affidarci totalmente a qualcuno che si complimentava anche solo un po' con noi, il nervosismo che ci faceva irritare anche per piccole cose.

Pensai che doveva essere un importante dispositivo che avevamo ereditato dalle nostre antenate, specifico per quei periodi in cui si deve allevare qualcosa di immaturo.

Deve essere perché l'istinto è sempre attivo, quando si è in quelle condizioni, che si perdono di vista alcune cose, l'atteggiamento tutto umano del mantenere le apparenze viene meno, e ci si accorge immediatamente dei cambiamenti che sopravvengono nella vita del bambino.

A un certo punto, quando eravamo tutte riunite in quell'unica stanza ad allattare, con il medesimo stato d'animo, ognuna convinta che il proprio bambino fosse il più importante di tutti (questo è naturale), ho aperto gli occhi: quel soffio di istinto andava lasciato lì dov'era, dovevo tornare in me, alla vita insieme agli altri. Così ho cercato di regolarmi, ma non dimenticherò finché vivo quell'emozione così speciale. Questo è l'istinto materno, e non è grazioso, immacolato. È pieno di vita, verace, volitivo. L'ho capito con il corpo.

Stando in un luogo con tanti bambini appena nati, se ne vedono e se ne sentono di tutti i colori, visto che tutti sono in una condizione psicologica particolare.

Madri che stanno appiccicate alle figlie e finiscono per dominarle, le anticipano quando cercano di dire qualcosa, con il risultato che le figlie non riescono a dire una parola sui loro bambini... persone che piombano nell'incertezza perché l'impiegato di un'azienda produttrice di latte ha fatto loro visita e ha detto che il latte vaccino è preferibile a quello materno (è normale, lavora per un'azienda che produce latte vaccino, non materno)... chi sostiene che se si prende subito in braccio il bambino quando piange, si rischia di fargli prendere il vizio, chi si preoccupa perché il pianto del proprio bambino è diverso da quello degli altri, chi non ha più toccato alimenti a base di carne perché una volta le hanno causato un'infezione alle ghiandole mammarie, e adesso ha voglia di carne. Era come se tutte quelle persone, appartenenti a un'epoca in cui non si ascolta più l'istinto, si fossero trovate all'improvviso nella condizione di riportarlo al di sopra di tutto ma non sapessero più come comportarsi.

Se quelle persone ragionassero come sempre, capirebbero subito che non c'è nulla di cui preoccuparsi, ma non sono in uno stato normale, e così finiscono per non capire più niente. Immagino che se fossero persone che vivono abitualmente in maniera istintiva, riuscirebbero a reagire in modo abbastanza immediato, ma riguardo alla gravidanza e al parto le persone di oggi sembrano non sapere niente, magari neanche da dove escono i bambini, e quindi l'istinto salta fuori nel momento in cui si smette di ragionare.

Tra i miei amici ce n'è uno che sembra un blocco di istinto. Se non vuole stare in qualche luogo, non c'è verso di farlo rimanere lì a lungo, e se gli si avvicina qualcuno con il quale c'è dell'attrito, anche minimo, scappa all'istante. Anche quando lavora, fa seriamente solo le cose che ha voglia di fare, e proprio non si sforza di fare quelle che non gli interessano. Forse perché non si lega a niente, o perché non ama il rigore della logica, fatto sta che è sempre in movimento.

Standogli vicino, si capisce che i suoi sensori sono sempre pronti a percepire se il luogo in cui si trova sia o no adatto a lui, e si resta incantati a guardarlo. L'espressione "un blocco di istinto" può far pensare a qualcosa di sregolato, di selvaggio, ma a osservare lui si direbbe che invece tutto ruoti intorno a una straordinaria intelligenza.

Possiamo essere in compagnia di persone che ci piacciono, in posti che ci piacciono, a mangiare cose che ci piacciono, eppure non è detto che tutto vada sempre bene. L'uomo è fatto di carne e ossa, e le sue condizioni cambiano in continuazione. La frutta che ieri era deliziosa, oggi potrebbe essere marcia, e mangiata insieme al pane di stamattina potrebbe far male. Lo stesso cibo che quando non avevamo sufficiente vitamina C ci era sembrato estremamente saporito, con una carenza di vitamina B può essere privo di gusto. La maggior parte delle persone invece pensa che quando una cosa piace risulti sempre buona.

Lo spirito e il corpo dell'uomo scorrono di continuo, come acqua, e due situazioni identiche non si verificano mai. Anche tra i nostri familiari, le condizioni fisiche cambiano ogni giorno e, benché la vita segua la stessa routine, la stanchezza provata è sempre differente.

La scuola ci ha abituato a ridimensionare queste diversità, e in un certo senso è una cosa utile, ma si finisce per diventare apatici se non ci si impegna a usare l'istinto.

Certo, nel mondo di oggi può andare bene anche così.

Ma in fondo gli uomini sono anche animali, e arriva il momento in cui l'istinto è necessario.

La stessa mamma, lo stesso bambino, a seconda dei giorni hanno condizioni fisiche differenti. Anche il ritmo è diverso, e di solito è il bambino ad adeguarsi a quello della madre. Se ha fame, piange. E se il latte è cattivo, e poco, piange ancora. Se anche il latte è buono, ma la madre glielo dà controvoglia, il bambino lo avvertirà, anche se teoricamente è tutto perfetto. Chi è venuto prima di noi ci ha insegnato a uniformarci e a far sì che tutto vada bene, in un modo o nell'altro, ma ho capito che, in ultima istanza, è sul proprio istinto che si deve contare.

Mi rimproveravano sempre che il mio latte era grasso e

che non aveva un buon sapore, perché ero stressata e conducevo una vita sregolata, eppure il mio bambino ne prendeva a volontà. E lo voleva sempre, anche quando ero assonnata, o vestita in modo strano, nella vasca da bagno, o fuori di casa. È stato un bene che fosse un bambino impertinente. Se fosse stato di indole delicata, non ce l'avrebbe fatta a bere il mio latte.

Se mi sentivo bene mangiavo anche la carne, e anche il *mochi*, ma senza esagerare; i dolci non mi piacevano da prima, e quindi non li ho mangiati, ma in compenso ho mangiato quantità incredibili di frutta. Tutti dicevano che non si doveva fare, ma io ho ascoltato la voce del mio istinto seppure sforzandomi di mantenere un certo equilibrio, e in qualche modo sono riuscita a superare quel periodo.

È un'esperienza che non voglio ripetere. Considerato che non sono neanche capace di nutrire bene me stessa, è una responsabilità enorme quella di far crescere un altro essere con una sostanza da me prodotta.

A pensarci bene, però, se la composizione del latte non è poi così diversa da quella del sangue, allora uno stile di vita mirato a produrre del buon latte avrà anche l'effetto di migliorare il sangue in circolo nel mio organismo.

L'ho presa così, come qualcosa a cui mi dedicavo per la prima volta, con tutta me stessa, alla cieca, ma alla fine penso di averne tratto molti insegnamenti. Si può vivere tranquillamente anche senza sapere con quale velocità ciò che mangiamo e beviamo attraversa il nostro corpo. Ma una volta saputolo, lo trovai davvero interessante. Capisco perfettamente quelli fissati con la corretta circolazione (esisteranno persone del genere? Devono esistere per forza).

Se cerchiamo di ascoltare la voce di quell'istinto di cui invece ci dimentichiamo sempre, la vita ci aprirà porte nuove.

Quando c'è stato il terremoto nel Golfo di Sumatra, l'amico di cui parlavo prima avrebbe dovuto trovarsi proprio sulla spiaggia più esposta di tutte. Ma la semplice decisione di andare per una volta in montagna, visto che era stato sempre al mare, gli ha salvato la vita.

"Se all'improvviso ha avuto questa idea, è proprio perché il suo istinto vibra incessantemente dentro di lui" pensai. E penso anche che per far scorrere bene tutte le cose basterebbe mantenere un semplice equilibrio, come quando ci si dice "vedo il mare ogni giorno, ora desidero vedere la montagna".

## Il giorno della separazione

Il mio cane è morto qualche giorno fa, a dodici anni.

La malattia è arrivata all'improvviso ed è progredita, e quando ce ne siamo accorti non c'era più niente da fare.

Fino ad appena una settimana prima stava bene e correva a destra e a sinistra, poi all'improvviso non è più riuscita a mettersi in piedi, né a salire sul suo divano preferito. È successo tutto troppo velocemente, il tempo è trascorso come in un brutto sogno. Volevo starle vicino come ogni giorno, in modo normale, e per questo ho cercato di non mostrarmi triste o turbata. Più che altro non ne avevo il tempo.

Quando le ho somministrato i farmaci antitumorali ha sofferto molto, e così ho smesso. In compenso ho fatto asportare chirurgicamente un ascesso che aveva in bocca, così che, anche se per poco, potesse mangiare le cose che le piacevano. Ormai non poteva più assumere altri alimenti, ma almeno è riuscita a gustare il rosso dell'uovo, i *nikuman*, il miele e il gelato. Erano tutte cose che fino ad allora le erano state proibite, perché le facevano male, ma ormai non aveva più importanza, e ho lasciato che le mangiasse.

Potevo scegliere tra tante possibilità diverse, per curarla. Potevo portarla in un ospedale lontano, dove l'avrebbero sottoposta a radiazioni, oppure affidarla alla medicina alternativa, senza fare nient'altro. Proprio come per gli esseri umani, avevo di che essere indecisa. Ma quale metodo fosse più appropriato, l'avrei capito in modo naturale, chiedendomi in primo luogo quanto volessi conservare del normale stile di vita. Non è forse così anche per gli esseri umani?

Ad esempio, non ho grandi difficoltà a passare agli alimenti a base di riso integrale, oppure a diminuire la mole di lavoro. Ma alle persone che amano il riso bianco più di ogni altra cosa o a quelle che ritengono che il lavoro sia la vita stessa, non potrei mai consigliare di fare come me.

Al mio cane piaceva mangiare, le piacevano le coccole, non le piaceva per niente andare in macchina, e in questo ho cercato di rispettarla. Visto che i cani non parlano, eravamo noi proprietari i soli a poter prendere delle decisioni. Quando una persona sta per morire, ci si può accertare della sua volontà. Ma nel caso di un cane ci sono soltanto i proprietari, e per noi è stato molto difficile.

Eppure non abbiamo rimpianti, perché abbiamo riflettuto bene su ogni singolo aspetto, ci siamo confrontati, abbiamo preso le nostre decisioni in maniera coscienziosa.

Però penso che non vivrò con un cane di grossa taglia per un bel po', anzi, forse non lo farò mai più. È perché non desidero più la bellezza di un cane grande, la sua melancolia, il suo affetto. Sento che non incontrerò mai più un cane così.

Penso proprio che non dimenticherò mai quella presenza che si prendeva sempre cura di me, si preoccupava, mi difendeva, mi osservava. Proprio perché niente può prenderne il posto, il solo essere stati insieme è una cosa straordinaria.

Quando stava bene, il pensiero che un giorno sarebbe morta mi spaventava moltissimo. Ma poi in realtà non è stato così spaventoso. Non è accaduto senza che ce ne rendessimo conto, ma al contrario, la morte è arrivata compostamente, un passo dopo l'altro.

E il mio cane mi ha insegnato una cosa. Morire è sicuramente doloroso, ma anche se il corpo prova dolore, il cuore è vivo sino alla fine, e sino alla fine sa amare.

Gli ultimi giorni sono stati sereni, pieni di una luce stupefacente.

Quando stava bene bastava un niente per renderla felice, era di bocca buona, allegra. Per dodici anni avevo affondato la faccia in quel pelo morbido, e mai una volta mi ero stancata, ma adesso che sapevo che poi non avrei potuto più farlo, mi parve più prezioso che mai. Capitava spesso che ci addormentassimo vicine, in corridoio, mentre la accarezzavo, e in quei momenti ci dimenticavamo entrambe della malattia, condividevamo quel calore, forse facevamo sogni felici.

Ero talmente in ansia che finii per ammalarmi anch'io. Avevo il viso gonfio, il naso chiuso, e mi si erano ingrossate le ghiandole linfatiche. Ma in ogni caso non avrei potuto sostituirmi a lei, e il solo guardarla soffrire è stato davvero duro.

Ma lo scambio d'amore... Per quanto faticasse a respirare, e gli ascessi in tumefazione emanassero un cattivo odore, per quanto fosse diventata pelle e ossa, ridotta ormai l'ombra di se stessa, l'affetto non era svanito, anzi, ci regalava una luce sempre più abbagliante. Facevamo tesoro del tempo, ma non stavamo incessantemente attaccate l'una all'altra, così che durante la giornata facevamo tante cose, e quando di tanto in tanto i nostri sguardi si incrociavano era come se condividessimo il desiderio di stare ancora insieme, così.

Un giorno il mio cane, che in genere non amava la luce del sole, chissà perché mi fece capire che voleva uscire. Allora la presi in braccio e la portai sul terrazzo fiorito.

Con il fiato corto, ma allo stesso tempo con un atteggiamento rilassato, si godeva la luce del sole. Anche il pelo, che le si era indurito, aveva acquistato un po' di morbidezza, esposto al sole.

Nel pomeriggio, un ragazzo che in passato aveva abitato con me, venne a trovarla.

Era la persona con la quale vivevo quando il cane era arrivato per la prima volta a casa. Fino a quando ha compiuto tre anni, ce ne siamo presi cura e l'abbiamo portata a passeggio insieme.

Io e mio marito lo abbiamo accolto tranquillamente, e lui le ha parlato con grande tenerezza, l'ha accarezzata e abbracciata.

Forse in quel momento il cane ha pensato che non aveva più motivo di restare in questo mondo.

A quel punto aveva incontrato pressappoco tutte le persone che desiderava incontrare, e quelli che per motivi pratici era impossibile vedere di persona erano stati avvertiti, oppure avevo fatto in modo che la salutassero al telefono. Tutto quello che c'era da fare era stato fatto. Alla fine aveva incontrato "il primo papà", e sembrava essersi un po' rasserenata. Era in condizioni tali, ormai, che alzare lo sguardo le era quasi impossibile, ciononostante ha raccolto tutte le sue forze e lo ha guardato.

Quella sera, io e mio marito uscimmo con il bambino per andare a cambiare il telefono cellulare in vista di un viaggio all'estero. Sarebbe dovuta essere una normale giornata di svago, ma per qualche motivo il morale non accennava a risollevarsi, e ci sentivamo avvolti in una tristezza profonda.

Mentre eravamo impegnati nelle pratiche per la sostituzione del telefono, si mise a piovere all'improvviso.

Io mi ero separata un momento da mio marito e dal bambino per andare in libreria a comprare un libro, ma non appena entrai in ascensore, inspiegabilmente, non riuscii a fermare le lacrime.

"È ancora viva, ma anche se avrò un nuovo telefono cellulare, se tornerò a casa e la rivedrò, e poi arriverà la bella stagione, con le sue meravigliose foglie verdi, non potremo mai più ritornare ai giorni in cui stava bene. Morirà. Non la vedrò più."

Questo fu il pensiero che mi attraversò la mente.

Riflettendoci adesso, nonostante fosse ancora viva, quella giornata è stata più triste di quella in cui la malattia si è aggravata, o di quella in cui è morta. Forse è stato proprio quello, il giorno della separazione.

La settimana precedente, il mio cane aveva manifestato la volontà di uscire a passeggio, cosa strana, visto che da tempo, ormai, non lo faceva più.

In quel periodo facevo in modo di non forzarla a uscire, visto che, se la invitavo a passeggio, restava sdraiata, come se la cosa la infastidisse.

Se non la porto fuori non c'è neanche il rischio che scappi, pensai, e così una mattina le tolsi il collare.

Forse nell'istante in cui le ho tolto il collare mi sono anche rassegnata al fatto che non sarebbe mai più guarita. Avevo ancora delle speranze, al di là del parere del medico, ma quel collare sembrava pesantissimo e glielo tolsi perché non l'avrei più portata fuori al guinzaglio, non mi sarebbe più scappata, non era il caso di farle subire della fatica inutile. E poi realizzai con dolore che se quel piccolo collare per lei era così pesante, allora doveva essersi indebolita davvero.

Ma quella sera sembrava intenzionata a uscire a passeggio, e così mi misi davanti a lei e iniziai a camminare. Il suo corpo era pesante, il respiro affannato, dopo circa trenta metri si fermò. Mi guardava ansimando.

Piangendo le dissi:

"Non mi dimenticherò mai di tutte le volte che siamo uscite a passeggio insieme".

Mi rispose scodinzolando.

Lo avevo capito. Quella era l'ultima passeggiata, era così chiaro che faceva male.

Anche adesso mi viene da piangere quando di sera passo di lì.

Fui felice che desiderasse uscire insieme ancora un'ultima volta.

Quella sera di pioggia, nell'ascensore, devo essermi resa conto che l'anima del mio cane stava per lasciare questo mondo.

Quando mi sono ritrovata con mio marito, gli ho detto: "Ci sta chiamando da casa, torniamo in fretta". Mangiammo un boccone e rientrammo subito. Aprii la porta consapevole che poteva avere già esalato l'ultimo respiro.

Il cane era ancora vivo, e ci aspettava. Fui contentissima di averla potuta vedere di nuovo, e cercai di convincermi che era stata solo una mia impressione, e che era viva e vegeta.

Ma non era così. La figura del mio cane sembrava quasi trasparente, era sofferente, ma in modo diverso rispetto alla mattina. Ebbi la sensazione che metà della sua anima si fosse già dileguata. Il corpo era ancora lì, ma gli occhi guardavano ormai l'altro mondo. Si stava allontanando da quella vita felice, così piena di ogni tipo di esperienza che aveva condiviso con me.

Il pomeriggio successivo perse conoscenza, e dopo due giorni ci lasciò.

Quel giorno di pioggia, il giorno più triste, avevo compreso perfettamente che l'anima del mio cane era venuta a dirmi addio.

Fino ad allora avevo pregato perché mi fossero concessi ancora sei mesi, ma un messaggio era arrivato fino a me, silenzioso: "Non può più sforzarsi, non vuole più sforzarsi, ma soffre perché deve separarsi da te".

Forse è proprio questa la comunicazione tra una vita e l'altra. Procedere decisi, un passo dopo l'altro, in accordo gli uni con gli altri, senza dire niente.

È come se la mia morte mi facesse un po' meno paura dopo aver provato tutto questo senza risparmiarmi, senza distogliere mai lo sguardo.

*Un bar da sogno*

Non so bene perché, ma per circa sei mesi dopo essere stata riconosciuta come scrittrice, lavoravo ancora come cameriera.

I miei libri vendevano bene, quindi dal punto di vista economico avrei potuto benissimo smettere, e da tempo, però non ne avevo nessuna voglia.

Il proprietario del bar aveva una figlia più o meno della mia età. Incoraggiava molto la mia attività letteraria, e lasciava che mi facessi intervistare lì nel bar, una volta che il mio turno era finito. Quando arrivava il momento mi toglievo il grembiule, diventavo una cliente e rispondevo alle domande dei giornalisti.

Avendo imparato a prepararlo, potevo tranquillamente farmelo da sola, e inoltre di quello *zōsui* avrei dovuto essere ormai stufa, ma quando lo preparava il proprietario, chissà perché, era delizioso. Io pagavo e diventavo cliente apposta per mangiare il suo *zōsui*. Non posso dimenticare quel sapore. A volte me ne preparava una porzione molto abbondante, con mia grande gioia.

A starsene seduti così, come clienti, il nostro bar era davvero un bel bar, si poteva consumare il proprio tè con calma, e poiché si trovava in un posto tranquillo si riusciva anche a conversare.

Io e le mie colleghe cameriere eravamo tutte ligie al dovere, e anche se quando non c'era nessuno sfogliavamo riviste o chiacchieravamo, di fronte ai clienti non parlavamo quasi mai tra noi.

Era così tranquillo che i clienti stavano anche troppo bene da rimanerci per molto tempo, cosa che teoricamente avrebbe dovuto nuocere all'andamento economico del bar, ma per me era un prezioso luogo di serenità dentro alla città.

Il giorno in cui uscì il mio primo libro, durante la pausa per il pranzo mi tolsi il grembiule e andai alla libreria che si trovava al quarto piano dello stesso edificio. Trenta minuti dopo aver pensato "mi sembra un sogno..." alla vista delle copie del mio libro una accanto all'altra, ero già a dare il benvenuto ai clienti con il grembiule addosso.

Ripensandoci adesso, era tutto davvero divertente. Ero fortunata.

Ciò che di buono mi ha dato l'esperienza di lavoro come cameriera è stato l'aver imparato a parlare con ogni tipo di persona, e a non farmi cogliere impreparata.

Per esempio, è successo tante volte che, in momenti in cui ero sola nella sala, all'improvviso entrassero dei gruppi, occupassero tutti i tavoli centrali e poi iniziasse ad arrivare gente a catena, fino a che il bar non si riempiva completamente. In situazioni come quelle, si deve fare tutto da soli. Proprio tutto, visto che sia versare il tè, sia preparare i vassoi con i dolcetti, sia portarli ai tavoli era compito della cameriera.

In più, proprio in momenti come quello, i clienti chiedevano tutti insieme cose di ogni tipo, completamente sconnesse ("Non avete dell'espresso?", "Posso avere altre due salviette?", "Vado in bagno e faccio una telefonata. Può farmi avere il tè quando torno?" eccetera eccetera). A pensarci bene, era una situazione di tensione tale da gettare nel panico.

Ma in casi del genere ci si può solo rimboccare le maniche e fare una cosa per volta. Se ci si ferma e si osserva l'interno del bar, l'ordine di precedenza viene fuori in modo naturale. Se io per prima perdo la calma e mi mostro inquieta, anche la serenità dei clienti viene meno, come per magia, sorgono nuovi problemi e le cose da fare aumentano. Per questo motivo era necessario che mi mostrassi sempre tranquilla, anche se dentro di me ero in ansia o mi veniva da piangere. Senza farmi prendere dal panico controllavo che l'acqua calda, le salviette o il ghiaccio non fossero finiti, e nel caso li rifornivo, se un cliente si lamentava di qualcosa gli porgevo le mie scuse e gli dicevo quanto c'era da aspettare, insomma, erano momenti in cui bisognava far lavorare la testa, e adattarsi alle situazioni.

Una persona che all'apparenza incuteva timore, in realtà non mi metteva nessuna fretta, mentre una donna di mezza età dall'aspetto pacato magari si metteva a urlare all'improvviso "ci muoviamo!?": non avevo idea di cosa sarebbe potuto succedere.

Un'altra cosa che ho imparato in quel periodo, è che potevo fare quante previsioni volessi, ma sarebbe capitato sempre qualcosa di imprevedibile.

Dirlo o scriverlo è facile, ma sperimentarlo sulla propria pelle è davvero difficile, e proprio questo mi ha aiutato nella vita.

Per via di questa esperienza, non sono più capace di entrare come se niente fosse in un bar e avanzare pretese di ogni tipo.

So che questo mio modo di pensare è del tutto inutile, dal momento che le persone che lavorano nei bar vogliono solo che il cliente si rilassi, senza preoccuparsi di niente, ma finisco sempre per ordinare in modo da facilitare loro le cose. E ancora adesso, come per un riflesso condizionato, mi viene da dare il benvenuto quando entra qualcuno.

Qualche volta mi succede anche di sognare che lavoro in un bar. Allineo i menù con i *dango*, prendo dalla mensola una specie di piccolo supporto per la pasta di *azuki*, tiro fuori la forchetta e il vassoio, metto l'acqua nella teiera e nelle tazze, prendo il barattolo con il tè... queste operazioni sono impresse nella mia memoria in sequenza, proprio come nella cerimonia del tè.

Nel sogno sono uguale a me stessa, e svolgo queste mansioni una dopo l'altra.

Il proprietario di quel *kissaten* era una persona davvero meravigliosa. Uno di quegli uomini dell'epoca Shōwa, con un profondo senso dell'orgoglio... I clienti potevano essere scarsi, noi potevamo essere completamente incapaci, ma lui si avvicinava sempre con entusiasmo, senza fare discriminazioni, senza perdere mai la sua aria rassicurante, virile. Conosceva bene la personalità di ognuno di noi, e attribuiva il giusto valore alle nostre caratteristiche individuali, così che non si verificasse nessun problema, nessun trattamento di favore. Non ha mai avuto uno scatto d'ira, non si è mai lamentato, non ha mai parlato male di qualcuno. Invece scherzavamo e facevamo sempre cose divertenti, tutti insieme.

Girava voce che se il proprietario diceva "oggi avrei voglia di *tōfu* bollito", al suo ritorno a casa c'erano otto probabilità su dieci che sua moglie avesse preparato proprio del *tōfu* bollito. Come se fosse un'ovvietà, il proprietario diceva che quando si sta insieme per tanto tempo accade sempre così, e noi, che avevamo l'età in cui si sogna in continuazione il matrimonio, ci emozionavamo moltissimo.

Quando poi il bar ha chiuso, noi cameriere ci riunivamo a casa del proprietario una volta l'anno. Quegli incontri sono andati avanti per più di dieci anni. Sua moglie ci preparava dei manicaretti squisiti, e noi non vedevamo l'ora che arrivasse il giorno dell'anno in cui ci vedevamo dal proprietario, in mezzo a matrimoni, divorzi, gravidanze e traslochi. Se capitava che qualcuno si ubriacava e iniziava a dare fastidio a qualcun altro, lui si metteva tra loro come se niente fosse, e dicendo "su, calmiamo i bollenti spiriti insieme ai bambini" li faceva giocare a carte con i suoi nipotini. Era una maniera del tutto inconsueta di far riappacificare due persone, eppure quell'atteggiamento così brillante ci faceva sentire che era la persona sicura di sempre, e ci commuoveva. Se c'è lui, siamo tranquilli, pensavamo.

E così, in quei dieci anni, i nipoti del proprietario del bar sono aumentati di numero poco per volta, e i bambini animavano le nostre riunioni e le rendevano più divertenti.

Noi eravamo convinte che con l'arrivo dei nostri bambini quegli incontri sarebbero continuati ancora per tanto tempo.

L'anno di quello che sarebbe diventato l'ultimo nostro incontro, io ero incinta. Dopo aver chiuso il bar, il proprietario aveva aperto un centro di agopuntura, e quindi mi spiegò quali fossero i punti su cui era bene intervenire in vista del parto. E poi, facendo pressione persino sulle spalle dell'autista del mio studio, disse: "Come prima cosa devo mettere in sesto il tuo corpo, visto che porti in macchina la mia cara Maho-chan" (che è il mio vero nome).

Il giorno che sono stata dimessa dall'ospedale, dopo il parto, dalla segreteria telefonica di casa, che non ascoltavo da un po', venne fuori la voce del proprietario del bar.

"Maho-chan, ho il cancro."

Ero davvero scossa, ma lo richiamai e ci parlai. Con una voce che non lasciava presagire nulla di irreparabile, mi fece gli auguri per il bambino, poi mi chiese: "Allora? Sei contenta? Lui sta bene?". In quel momento mi sono detta che il fatto che gli fosse venuto un cancro non significava che lui non fosse più la persona che conoscevo. Era ancora vivo, sorridente e mi stava parlando, solo quello dovevo pensare. Non avevo mai immaginato che un legame come quello potesse spezzarsi, e tutti e due avvertivamo quella sensazione di incredulità.

Dopo il parto, per qualche tempo non sono stata in grado di camminare, e per questo non ho potuto fargli visita, ma poi, una domenica, mi sono decisa a raggiungere l'ospedale in cui era ricoverato. I bambini appena nati non possono entrare in ospedale, e quindi ho lasciato mio figlio ad aspettare in macchina con mio marito.

"Capo!" chiamai, con la mascherina sul viso per via del raffreddore, trascinando i piedi, in una forma pessima, mentre lui era sdraiato e sembrava stare molto meglio di me.

Il proprietario si tirò su esattamente allo stesso modo di quando lavoravamo insieme ed esclamò ridendo: "Hai ripreso a camminare!".

In quel momento ho capito che, anche se ormai ero in tutto e per tutto una signora e mi comportavo da adulta, davanti a lui ero identica a quando avevo ventiquattro anni, ero solo quella ragazzina che lui coccolava.

"Ci sono novità?" gli chiesi.

"Si sta avvicinando un poco alla volta" rispose lui.

"Ma cosa dice!?" dissi, e lui: "È proprio così che mi sento, però".

Ciononostante, si sforzò di camminare e mi accompagnò all'uscita dell'ospedale.

Quei pochi istanti furono gli ultimi che trascorsi con il proprietario. Allora mi tornavano spesso in mente i giorni in cui passeggiavamo insieme ad Asakusa, dove si trovava il bar. Noi ragazze andavamo spesso con lui a mangiare *soba* o *yakiniku*. Ci facevamo un sacco di risate a sentire i giochi di parole del proprietario. La velocità del suo passo, il modo in cui ci voltavamo a guardarlo, quando parlava, mi sono rimasti impressi. Perché dobbiamo arrivare a questo punto per renderci conto che ognuna di quelle cose che una volta ci sembravano ovvie, sono in realtà insostituibili?

Mi ricordo che quando camminavamo insieme al proprietario ci sentivamo tutte in qualche modo orgogliose. Forse era la fierezza della piccola bambina che passeggia insieme al suo papà.

Arrivati fuori salutò mio marito, e guardò il bambino che dormiva.

Poi disse: "Com'è carino. È proprio carino!".

Io gli dissi: "Arrivederci, capo!" ma lui si limitò a fare un cenno con la mano, non disse "arrivederci", e senza voltarsi indietro scomparve nell'ospedale. Era una giornata grigia di inizio primavera, soffiava un vento freddo. Per la prima volta ebbi coscienza di quanto fosse grande la differenza tra quello che sta dentro a un ospedale, e quello che sta fuori.

La prima lettera che il proprietario mi aveva inviato, subito dopo avere iniziato le terapie, diceva:

"Non mi va di lottare contro il cancro, ma la voglia di cacciarlo via c'è".

Il tono era positivo, ma quando era stato dimesso e aveva iniziato le cure a domicilio, mi aveva inviato una seconda lettera:

"Dopo che ho visto il viso del tuo bel bambino ho riflettuto molto. Per una nuova vita che nasce, a un vecchio viene il desiderio, triste e naturale, di cedere il posto. O almeno questo è ciò che ho provato io, come vecchio, in tutta onestà. Prego che lo alleverai nel modo migliore".

Solo questo c'era scritto.

Penso che provasse dolore, e che ne abbia procurato anche a chi gli stava vicino. Ma ai miei occhi il proprietario è rimasto fino alla fine la persona dignitosa che era. Quella scrittura regolare comunicava la serenità di un uomo che si preparava a lasciare questo mondo, non c'era alcun dubbio.

Il proprietario non era una persona particolarmente famosa, né il nostro bar era uno di quelli che hanno un gran successo, tanto da diventare una catena, e ha cessato le attività in sordina. Neanche il suo centro di agopuntura si affermò al punto di aprirne dei nuovi. Ma capii che la vita di un uomo non è così insignificante da misurarsi solo da cose come queste.

Quello che ha lasciato è qualcosa di profondo e di grande per tutti coloro che lo hanno conosciuto.

La prossima volta che sognerò di quando facevo la cameriera, voglio provare a sbirciare nella cucina del bar. E se così riuscirò a incontrare il proprietario sarò contenta. E poi gli voglio dire: "Pensavo che sarebbe durata per sempre, e sono rimaste tante cose ancora da dire, purtroppo. Grazie di cuore per essere stato sempre gentile con me, per essermi stato vicino con affetto".

E dopo, se si potesse, e mi accontenterei di farlo in sogno, vorrei andare alla gelateria che si trovava accanto alla porta della cucina, comprare dei gelati e mangiarli insieme a tutti gli altri, scambiandoceli a vicenda.

Sul piano dove si trovava il nostro bar adesso tutti i locali hanno chiuso, e c'è un grande supermercato. La scena di cui allora pensavo "mi sono stancata di vederla, basta, che noia", adesso non esiste che nelle nostre teste, e nei nostri sogni.

È proprio vero che a questo mondo ogni cosa finisce, prima o poi. Non importa quanta voglia abbiamo di andarci, in alcuni luoghi non si può più tornare.

Voglio passare la vita ad accumulare ricordi nella mia testa, finché non ne entreranno più, e finiranno per fuoriuscire.

Se tutti capissero questo, forse non si sprecherebbe più il tempo con le liti coniugali o con le nevrosi dovute all'educazione dei figli.


## Sushi

Per molti anni non ho amato gli alimenti crudi, e per questo motivo la prima volta che sono entrata in un ristorante di sushi ero già adulta.

Farmi portare da persone più grandi di me che se ne intendono, e mangiare quello che ordinano al bancone, è diventata una delle grandi gioie della mia vita. Da sola non riesco ad andarci (perché mi viene l'ansia), ma se capita che qualcuno mi inviti a mangiare fuori, con la faccia tosta propongo: "Per me va bene il sushi". Lo faccio perché la cosa migliore è andare in un ristorante di sushi con qualcuno che lo conosce bene.

E quindi, fatta eccezione per le volte in cui ci vado con il bambino, per mangiare tonno o involtini alla polpa di granchio, evito di andare in ristoranti di sushi che non mi ispirano troppa fiducia.

172

Dal punto di vista del servizio, nel corso degli anni in cui ho mangiato del sushi, credo di essere diventata un po' rompiscatole. Da qualche parte dentro di me deve esserci stata l'idea spocchiosa che non c'è motivo per cui in città esistano ristoranti che servono del cattivo sushi. Non era un problema di denaro, ma piuttosto dipendeva dal fatto che sapevo che a Izu, dove vado ogni anno, nei mercati dello Hokkaidō, oppure a Tsukiji, è sempre possibile mangiare del sushi fresco a buon mercato.

Però sono una *edokko*, e quindi niente mi rende più felice che mangiare il sushi di Edo, anche se il sushi di Edo è molto costoso (a proposito, in passato c'era un ristorante di sushi di Edo che si chiamava Hokkaidō, ma che cosa significa?). Per questo motivo, ho coltivato per lungo tempo una sorta di pregiudizio.

A dissipare quei miei capricci infantili sono stati due episodi.

Il primo è il ricordo del mio ultimo incontro con il Professor Katayama, una persona che stimavo.

Il Professore era sempre brillante, affascinante, amava il sakè, ed era molto felice che fossi diventata scrittrice.

Nonostante all'università non avessi mai frequentato le sue lezioni, dopo la laurea, chissà perché, abbiamo iniziato ad andare a bere insieme.

Vicino a casa del Professor Katayama, c'è un ristorante molto semplice ed economico, che serve un sushi non esattamente delizioso. Qui provvedevano a non servire più sakè, quando il Professore era ormai ubriaco fradicio, e non si arrabbiavano se gli studenti, ubriachi anche loro, facevano qualcosa di stupido.

Ogni volta che usciva un mio libro, e glielo inviavo, il Professor Katayama mi scriveva una lettera di ringraziamento. Non si trattava di messaggi di circostanza, come "Lo leggerò presto, grazie", oppure "Auguri". Dopo averlo letto attentamente, mi scriveva con sincerità, per filo e per segno, cosa ne pensava. Se la storia era debole, mi scriveva: "Mi è sembrato che mancasse di energia, ti senti bene?" e se invece avevo scritto un'opera piena di forza mi scriveva: "Ho avvertito qualcosa di nuovo, leggermente diverso rispetto a quello che hai scritto finora". Per oltre quindici anni, non ha cambiato tono nemmeno una volta.

E così ho preso coscienza del fatto che il Professore mi proteggeva ancora, che si prendeva cura di me, che era una persona dotata di grande grazia, e che non potevo assolutamente scrivere libri superficiali.

L'ultima volta che l'ho incontrato, il Professor Katayama mi aveva dato appuntamento davanti alla stazione di Kōenji.

Un ictus gli aveva lasciato delle paralisi in alcuni punti, e aveva qualche difficoltà a parlare, ma stava dritto sulla schiena, e non aveva perso per niente il suo aspetto affascinante.

Nonostante fossero le tre del pomeriggio, il Professor Katayama ci invitò al ristorante di sushi vicino alla stazione.

Visto che era il Professore a volerlo, facemmo in modo di farci venire appetito, nonostante non ne avessimo.

Chiesi: "Professore, come sta la coppia del ristorante dove va sempre lei?".

Il Professore mi rispose, portando rapidamente la mano all'altezza del collo.

"Sono morti, e anche a me resta poco tempo."

Risi leggermente, mi sforzai di scambiare qualche parola, ma ero rimasta colpita dalla sua naturalezza.

"Ho ottant'anni ormai..."

"Eh? Da quando?"

"Stai scherzando!"

Il Professore rise.

Nel ristorante, il Professore ci disse di ordinare sushi a volontà, e intanto mangiava con piacere. Contagiata, mangiavo di gusto anch'io.

Dopo abbiamo bevuto una tazza di buon caffè in un *kissaten* che lui frequentava abitualmente, ha fumato – cosa che gli era stata vietata – e sembrava davvero felice. Penso che fossero tutte le cose che faceva nei suoi pomeriggi di divertimento solitario a Kōenji, quando stava bene e poteva muoversi liberamente. Sicuramente la moglie lo sapeva e ne era divertita quanto lui.

Prima di incontrarlo, avevo telefonato di nascosto alla moglie: "Ho una bottiglia di Koshi no kanbai e vorrei portarla al Professore, ma se pensa che possa fargli male anche solo un poco, lascerò stare". Lei mi disse, ridendo: "Portala, gli farà piacere. Se potesse smettere di bere, lo avrebbe fatto da tempo".

E così il Professore, con la bottiglia di Koshi no kanbai tra le braccia, dalla stazione si infilò in un taxi, non senza difficoltà, e con un cenno della mano mi salutò e se ne tornò a casa.

Fu l'ultima volta che lo vidi, eppure non è un ricordo triste. Resta solo quella sua freschezza. Se ci ripenso adesso ho come l'impressione che potrei incontrarlo ancora.

Pensai che era una fortuna che quel ristorante di sushi si trovasse vicino alla stazione di Kōenji. Originario di Okayama, il Professore deve aver mangiato dell'ottimo pesce per tutta la vita, eppure consumava quel sushi divertendosi, con gusto, senza farsi problemi e senza lamentarsi, insieme ai suoi ex studenti.

In quel momento forse non era nel fiore dei suoi anni.

Forse era una situazione desolante, rispetto al tempo in cui era libero di muoversi come voleva. Ciononostante, il suo aspetto era bello, straordinario. E quel ristorante di sushi in cui mi ha invitato mi è rimasto dentro come un sapore che niente, a questo mondo, potrà mai eguagliare.

Ho saputo che il Professore ha portato con sé il mio libro più recente quando è entrato nella stanza d'ospedale in cui ha trascorso gli ultimi momenti.

L'altro episodio. A Nakameguro c'è un locale terribile, metà bar e metà ristorante di sushi.

È uno di quei locali aperti fino a notte fonda, dove i giovani e gli ubriaconi del quartiere arrivano per ultimi.

Non ci sono neanche bagni separati per uomini e donne, e poiché quando è molto tardi il *sashimi* non ha più un bell'aspetto, ordino degli stuzzichini come *mentaiko*, piselli o brodo di *miso* al granchio, mentre quelli del gruppo che hanno fame prendono *engawa* e *ō-toro* a volontà, ma paghiamo sempre poco.

I cuochi sono tutt'altro che geni. Sono dei normali signori di mezza età, e fanno anche chiacchiere sconce.

È un locale in cui uno dei miei amici va abbastanza spesso, ma all'inizio non capivo perché una persona ricca come lui frequentasse un posto del genere. È uno che a notte fonda potrebbe prendere un taxi e andare in un ristorante di sushi di Ginza o Yotsuya.

Ma mentre mi abituavo a quell'atmosfera di rilassatezza, piano piano capivo.

Non c'è affettazione nel servizio, è un locale che conferma la prima impressione. Quella rilassatezza... C'era un soffio di libertà indescrivibile, che nessuna somma di denaro può comprare.

Una sera che, come al solito, il mio amico mi aveva chiamato, ce ne stavamo lì in quattro a fare chiacchiere sconce, ridendo a crepapelle mentre bevevamo al bancone, quando mi si fece accanto, avvicinandosi con passo incerto, una signora che doveva avere sicuramente più di settantacinque anni.

La signora, che sembrava non reggersi in piedi, si sedette da sola al bancone, e dicendo ogni tanto qualcosa tra sé e sé ordinò del sushi e bevve con gusto del sakè caldo della qualità meno cara.

Poi, senza unirsi a noi, a volte ci guardava ridere e rideva a sua volta.

Poi a un certo punto si alzò e andò in bagno, mormorando "sono ubriaca". Dopo un bel po' che non tornava, mi sono preoccupata, ma trascorsi altri quindici minuti venne fuori di nuovo barcollando, bevve del tè e poi si alzò dicendo "me ne vado, eh!?".

Penso che abbia impiegato almeno dieci minuti a bere quel tè.

Dai movimenti si capiva che voleva tornarsene a casa, ma forse, essendosi stancata in bagno, sembrava non riuscisse a stare in piedi.

Con un po' di preoccupazione, la osservavo. Lei mi sorrise, e io le sorrisi a mia volta. Poi chiese il conto.

Per un po' l'ho seguita con lo sguardo, chiedendomi se sarebbe riuscita a tornare a casa, e se non fosse il caso che io, che mi trovavo più vicina a lei, l'accompagnassi. In quel momento, il più anziano dei cuochi uscì da dietro il bancone e le prese la mano.

La signora appoggiò il braccio su quello del cuoco, fece qualche battuta un po' sconcia e rise in maniera esagerata. Anche il cuoco disse qualcosa, e poi lasciarono tutti e due il locale.

Gli altri due cuochi ridevano dicendosi a vicenda: "Che facciamo se non torna più?" ma dopo un po' arrivò, con l'aria di chi se l'è vista brutta.

La situazione non aveva niente di bello né di brillante, né di conveniente né tantomeno di divertente. Eppure quella anziana donna, che molto probabilmente viveva da sola, non mi sembrò da commiserare.

E poi pensai: "Che fortuna che quella signora abbia questo locale".

Lì non ci sono discorsi interessanti, con scambi importanti

di informazioni, non ci sono tecniche culinarie straordinarie, né sakè freddo, né verdura fresca, non c'è niente, ma è bene che quel posto ci sia. Pensai che dovesse assolutamente esserci. Indipendentemente da come sarà il mondo, d'ora in avanti, anche se i *konbini* dovessero servire un sushi migliore di questo, o se i *family restaurant* dovessero proporre menù a base di sushi preparato da un famoso cuoco robot, o se si potesse ordinare del *nigiri-zushi* su internet e riceverlo il giorno successivo, è bene che questo posto ci sia, pensai.

Sicuramente quel ristorante non è per niente buono, se paragonato a quelli in cui vengo invitata, o in cui vado con mio marito, pagando profumatamente.

Ma la coppa di sakè a buon mercato e quei normalissimi *maki* che la vecchia signora decide di andare a mangiare lì, senza esitazioni, alla fine della giornata, devono essere ottimi... Questo è ciò che avevo pensato, sbirciando la signora che mangiava e beveva di gusto, mentre sorrideva.

Così buoni, magari, che non sembrano neanche di questo mondo.

# Postfazione

I saggi contenuti in questo libro risalgono al periodo in cui ho viaggiato di più. Per me, che sono cresciuta negli anni settanta, l'idea stessa di possedere un passaporto era inconcepibile.

Per questo motivo, c'è una parte di me che ancora non ci crede.

Nonostante non ci creda, però, mi sto abituando ai viaggi. Il tempo che dedico a preparare i bagagli si accorcia sempre di più. La sola cosa che non cambia mai è una sensazione che precede ogni viaggio: non tornerò uguale a prima. Credo che sia la sensazione più importante, quando ci si mette in viaggio.

In fondo ogni giorno è un viaggio.

Questa cosa di solito sfugge, e me ne accorgo solo quando vado molto lontano, quasi per caso.

Anche dopo aver scritto questi saggi, molte cose sono cambiate.

Mayol è morto. La fattoria dei ciliegi di Brisbane ha chiuso i battenti. Haruta che, come per papà e mamma, anche per il mio bambino era importante, se n'è andato dallo studio dopo un litigio, licenziandosi. I giorni passano. Le cose cambiano. Ogni volta che un ricordo torna alla mente, la nostalgia stringe il petto.

Però i sandali di mia sorella sono ancora lì, e pare che

Yōko non abbia buttato via la T-shirt a cui è tanto affezionata. Haruta adesso viene sempre a trovarci, come amico. Anche cose così succedono in continuazione. Le persone possono decidere solo fino a un certo punto cosa tenere e cosa lasciare. Proprio per questo tutto quello che possiamo fare è stare a guardare cosa succede nel presente.

Poco fa, per pranzo, sono entrata in un ristorante di una catena di cucina al curry, e con tutti i piatti c'era sempre un piccolo *lassi*. Lo mettono anche nei piatti singoli, quelli che non fanno parte del menu di mezzogiorno, però c'è la regola che questi non possono essere serviti con il menu che comprende anche il dessert. Quando abbiamo detto che volevamo anche un dessert a parte, la cosa è diventata ancora più complicata, e alla fine ci siamo ritrovati con tre piccoli *lassi* in due.

La gente può anche avere voglia di ordinare in una forma diversa da quella del menu fisso. Come cambia il tempo, possono cambiare le cose che uno vuol mangiare, e ci sono giorni in cui si ha poco appetito. Però i manager delle catene stabiliscono menu facili da gestire, lasciando sia i dipendenti dei singoli ristoranti che i clienti privi di possibili alternative. Io non vorrei viverci, in un mondo così, però i giovani ci sono abituati, e finiscono per adeguarsi. È esattamente quello che è successo nel locale di cui ho parlato in questo libro.

Mi rivolgo soprattutto alle generazioni che vivono in mezzo a così tante imposizioni da non potersi permettere neanche delle piccole libertà come quella.

La nostra vita appartiene soltanto a noi, e i ricordi... quelli non possiamo cederli a nessuno. Accumulatene, che siano soltanto vostri, e straordinari, grandi, tanti, irripetibili, di quelli che lasciano a bocca aperta, e che fanno entrare nella tomba con il sorriso sulle labbra!

Non è detto che solo perché si sono accumulati tanti ricordi si possa star tranquilli, né che si vivrà a lungo. Però, in fondo, questo non lo sa nessuno comunque. Ma se si accumulano tanti ricordi, si diventa sicuramente capaci di pensare con la propria testa. Anche se si deve morire, si muore con la propria testa.

Se dovessi morire perché nel curry c'era del veleno, vorrei potermi dire che sono morta perché io stessa ho scelto quel piatto.

Fino a quando mi troverò in Giappone, voglio godere della delicatezza delle stagioni di questo paese.

Non so fino a quando ci vivrò, ma per adesso la penso così.

Per la saggistica sono negata, e forse non migliorerò mai. Anche i testi di questo libro, più li leggo e più mi sembrano un disastro, però una cosa è certa, e cioè che rappresentano uno spaccato preciso di un periodo. La vita è un viaggio, accumuliamo ricordi, vivere in Giappone è difficile, di questo ho scritto. Ma non c'è scritta neanche una cosa che non pensi davvero. È il solo motivo che mi rende fiera di questi modesti saggi.

Ringrazio Kominato Masahiko, che ha amato e lavorato a questo libro più di me, con incessante gentilezza e impegno.

*Banana Yoshimoto*

# Glossario

*andagi*: dolci fritti di forma sferica a base di farina, uova e zucchero, tipici di Okinawa.

*azuki*: fagioli rossi utilizzati nella preparazione del riso e come ripieno di dolci tradizionali.

*dango*: dolci di forma sferica a base di farina di riso. Si servono generalmente con il tè.

*dokudami*: pianta acquatica (nome scientifico: *Houttuynia cordata*) originaria dell'Asia orientale. Presenta foglie di colore verde intenso e piccoli fiori bianchi.

*edokko*: nativo del nucleo urbano di Edo, antico nome di Tōkyō.

*engawa*: parte vicina alla spina dorsale del pesce. In genere si tratta di specie comunemente indicate con il termine anglosassone *halibut*, presenti soprattutto nei mari del Nord e nell'Atlantico.

*goya*: frutto simile al melone ma dal sapore amaro, utilizzato in vari piatti della cucina tradizionale di Okinawa.

*gyōza*: piatto di origine cinese cotto al vapore che nella forma ricorda il raviolo. I *gyōza* si consumano con un intingolo a base di salsa di soia.

*gyūdon*: piatto composto da fettine di carne di manzo e cipolla adagiate su una ciotola di riso insaporito con una salsa agrodolce.

*ikkenyado*: alloggi costituiti da un'unica struttura a più piani.

*kamo-namban*: *soba* (v.) serviti in brodo con carne di anatra e cipolle.

*kayu*: pasto semiliquido ottenuto dalla bollitura del riso per un lasso di tempo prolungato. È considerato molto salubre, e consumato quando le condizioni di salute non sono buone.

*kissaten*: locali commerciali nei quali è possibile consumare bevande calde e fredde, snack e pasti leggeri.

*komatsuna*: verdura originaria dell'Asia orientale, simile allo spinacio e ricca di calcio.

*konbini*: forma contratta di *convenience store*. Il termine indica una tipologia di negozio generalmente aperto tutto l'anno, ventiquattr'ore su ventiquattro, e che vende generi vari.

*Koshi no kanbai*: varietà di sakè dal gusto leggero e netto, è prodotto nella zona di Niigata.

*lassi*: bevanda a base di yogurt caratteristica della cucina indiana.

*rotenburo*: vasca da bagno all'aperto.

*maki*: abbreviazione di *maki-zushi*. Il termine indica un tipo di sushi in cui il riso e il ripieno sono avvolti in un'alga e successivamente tagliati in cilindri di piccole e medie dimensioni.

*manjū*: dolce di origine cinese preparato con un impasto a base di farina e un ripieno di fagioli *azuki* (v.). Si cuoce al vapore e si consuma soprattutto con il tè.

*matsutake*: fungo particolarmente diffuso in Giappone, e caratterizzato da una polpa bianca, morbida e molto aromatica.

*mentaiko*: uova di merluzzo aromatizzate al peperoncino.

*miso*: composto ottenuto dalla fermentazione di soia, sale e lievito. È alla base di numerosi piatti della cucina tradizionale, tra cui il brodo (*misoshiru*), che accompagna la maggior parte dei pasti giapponesi.

*mitarashi dango*: varietà di *dango* (v.) preparata aggiungendo agli ingredienti salsa di soia e zucchero.

*mochi*: dolce preparato bollendo del riso e poi pestandolo energicamente in un mortaio. Lo si consuma durante le festività, in particolare quella di Capodanno.

*mozuku*: alga coltivata nei mari di Okinawa, ha foglie sottili e morbide di colore verde. Si consuma come snack, solitamente con un intingolo a base di aceto.

*nigiri-zushi*: polpette di riso cotto con aceto a cui si dà la forma di un piccolo parallelepipedo stringendole (*nigiru*) con le mani e su cui si adagiano fette sottili di pesce crudo, frittata o altri ingredienti.

*nikuman*: alimento simile al *baozi* cinese, preparato cuocendo al vapore una pastella a base di farina con un ripieno di carne.

*oden*: piatto composto di una zuppa con vari ingredienti, come uova, radici, alghe o verdure. Molto caldo, si consuma prevalentemente in inverno.

*okonomiyaki*: piatto composto da una pastella a base di farina a cui si aggiungono vari ingredienti a piacere, come verdure, uova, funghi, carne o pesce, e successivamente cotto alla piastra.

*onigiri*: alimento preparato con riso condito con vari ingredienti e stretto in un'alga. Può avere forma triangolare o sferica, e si consuma generalmente come pasto veloce.

*ō-toro*: parte del tonno con la maggiore percentuale di grasso, particolarmente saporita e per questo considerata la più pregiata.

*ramen*: pasta lunga di origine cinese, preparata con farina di frumento e servita in brodi caldi preparati con vari ingredienti.

*rotenburo*: nei complessi termali giapponesi, vasche da bagno di diverse dimensioni e forme poste all'esterno, in giardini o su terrazze.

185

*sashimi*: fettine di pesce crudo che si consumano con un intingolo a base di salsa di soia.

*senbei*: galletta di riso che può avere forme e aromi diversi. Il più comune è quello alla salsa di soia.

*shabu shabu*: fettine sottili di carne di maiale o vitello lessate in una pentola colma di brodo e posta al centro della tavola. Non appena tirate fuori, si intingono in una salsa e si mangiano calde.

*shinkansen*: linea ferroviaria ad alta velocità che collega tra loro i maggiori centri urbani giapponesi. Per estensione, si indica con lo stesso termine anche il convoglio che percorre la linea.

*shōjo manga*: storie a fumetti (*manga*) rivolte principalmente a ragazze adolescenti. Tra gli argomenti più diffusi vi sono storie d'amore e di amicizia le cui protagoniste sono quasi sempre ragazzine della stessa età delle lettrici. In alcuni casi, le trame sono di interesse e complessità tali da attirare l'attenzione di un pubblico molto più vasto, sia dal punto di vista dell'età che del genere.

*soba*: pasta lunga a base di farina di grano saraceno che si consuma in un brodo caldo oppure fredda, accompagnandola con condimenti vari.

*sukiyaki*: fettine di carne di manzo cotte con tōfu e verdure in un brodo di salsa di soya, sakè e zucchero, secondo una procedura simile a quella dello *shabu shabu* (v.).

*tenpura*: piatto composto di vari ingredienti, generalmente pesce, verdure e alghe, passati in una pastella a base di farina e fritti. Si consuma con un intingolo denominato *tenpura-tsuyu*, e preparato con salsa di soia, aceto di riso e altri aromi.

*udon*: pasta lunga di farina di frumento di formato piuttosto spesso. Gli *udon* si consumano caldi, in brodo, oppure freddi, intingendoli in una zuppa servita a parte.

*yakiniku*: fettine di carne cotte alla piastra e consumate con vari aromi.

*yōkan*: dolce preparato con fagioli *azuki* (v.) e gelatina. Generalmente si serve con il tè.

*zōsui*: zuppa di verdure e riso con una consistenza simile a quella del *kayu* (v.).

# Indice